Nhe'enga
a more quixotesco

Editor: Sálvio Nienkötter
Editor executivo: Raul K. Souza
Editora adjunta: Isadora M. Castro Custódio
Produção: Cristiane Nienkötter
Revisão: Giovana de Almeida Machado
Projeto gráfico e editoração: Jussara Salazar

Dados Internacionais de Catalogação na Publicação (CIP)
Angélica Ilacqua CRB-8/7057

Danilo da Costa Cobra-Leite / da Costa Cobra-Leite, Danilo.

Nhe'Enga a more quixotesco / Danilo da Costa Cobra-Leite – Curitiba: Kotter Editorial, 2020.

220 p.
ISBN 978-65-80103-68-3

ISBN 978-989-54566-2-8

1.Poesia brasileira I. Título

19-2145 CDD 80103

KOTTER EDITORIAL
RUA DAS CEREJEIRAS | 194
82.7700-510 | CURITIBA | PARANÁ
+55 (41) 3585-5161

KOTTER PORTUGAL
RUA DA EMENDA | 72
1200-170 | LISBOA/PORTUGAL
+351 21 3477 1886

contato@kotter.com.br

DANILO DA COSTA COBRA-LEITE

Nhe'enga a more quixotesco

KOTTER EDITORIAL

curitiba | 2020

Apresentação Cobra-Verde

Danilo Costa-Cobra-Verde Leite. Como apresentá-lo? Ou é apenas este livro que precisa ser apresentado? Não creio. O livro apresenta-se a si mesmo, é sua própria exposição estando aí em suas mãos. Folheie-o despudoradamente. Ele gosta.

"Venham a Itá Anhangá", poderia dizer, "onde Bandeira encontra Macunaíma e fogem juntos atrás de Toquinho, Vinícius e Dulcinéias!"

Ou poderia dizer "Itá Anhangá, limiar de mundos!" Toda a imagem do que pode existir está lá, mas nenhuma substância. Outra linha de marketing: "famílias não moram em Itá Anhangá, elas estão soltas como contas de rosário nas rotas dos bandeirantes e tropas de mulas. O café consolidou caminhos pelos quais vêm e vão, vêm e vão..." Mas isso se verá no livro. Isso é o que você irá descobrindo ao lê-lo.

Exponho então o caballero que o cavalga escondido: Cobra-Verde Norato Leite.

Foi ele quem, dez anos atrás, provocou-me a voltar a escrever. Quebramos lanças em duelos de tinta. Eram poesinhas, na época: haicais. Millôr Fernandes ainda vivia e graças a Costa-Cobra troquei tweets com o mestre de todos nós. Realizei assim um sonho que nunca tive (mas o realizei!)

@schneidergondim à @millorfernandes

Churrasquinho Grego: Esfomeado Teseu / Matou o minotauro / E depois comeu.

@millorfernandes

Me elogia, vai! / Escreve um troço, aí! /
Não dói não; faz de conta / Que eu morri.
#poemeu"

Tolices, diríamos, como tudo. Tolices como sonhos. Qual é a verdadeira natureza dos sonhos? São aquilo que existe e não temos. Um exercício abdistraído de quixotismo.

Também naquele ano longínquo de 2010 o Grande Mestre de todos nós tuitou sobre a essência do quixotismo:

@millorfernandes

Meu Deus, como é sublime e bela a mulher que está distante."

"O como ela é bela, a dama do país do oeste" diz o velho poema chinês. A beleza distante tampouco envelhece.

Costa-Cobra sabe muito bem o que é esse olhar distante, o olhar que vê o que existe e o que não existe; o que não existe e o que deveria existir, o quixotismo.

O quixotismo parece ser um modo de ser passadista, que o automatismo hodierno empurra para um espaço interno cada vez mais distante e exíguo.

Costa Leite não é automático, é analógico. As pessoas nem entendem mais o que essa palavra "analógico" siginifica, mas Danilo Costa-Cobra precisa ser compreendido assim.

Exemplo emblemático do que é ser analógico e metanalógico:"Maldita mania herdada de ser curioso e de gostar de gostar."

O que é herdado é analógico. O que é herdado é-e-não-é nosso. O curioso também, maldito seja. Gostar de gostar e de ser curioso é analógico e metanalógico.

Seguindo a palavra em um sentido um pouco diferente: quando penso em Costa-Leite, penso nele como composto de metade bandido Cobra Verde, metade Policarpo Quaresma e metade Saint-Hilaire. Sim, são três metades! Assim é que eu compreendo muito bem sua grandiloquência, que é nossa representação mais caracteristicamente nacional da ironia.

E então eu penso nele com um chapéu de três bicos trançado em folhas de bananeira, caçando saúvas com Ernesto no interior da Bahia. "Ou o Brasil acaba com a saúva, ou a saúva acaba com o Brasil." Mas cada saúva morta é uma pena a mais, o ponto final de um poema (mas aí talvez eu esteja incorrendo em demasiado romantismo).

O caso é que serve muito bem a Cobra Norato Leite a epígrafe que Lima Barreto usou no Policarpo:

> "Le grand inconvénient de la vie réelle et qui la rend insupportable à l'homme supérieur, c'est que, si l'on y transporte les principes de l'idéal, les qualités deviennent des défauts, si bien que fort souvent l'homme accompli y réussit moins bien que celui qui a pour mobiles l'égoïsme ou la routine vulgaire.[1]"

---

1 Lima usou em francês então fica em francês. Traduza-se aqui: "O grande conveniente da vida real e o que a torna insuportável ao homem superior é que, transferidos a ela os princípios do ideal, as qualidades tornam-se defeitos, de modo que, muito frequentemente, o homem talentoso tem menos sucesso na vida do que aquele que se move pelo egoísmo ou pela rotina vulgar."

E é por isso que o tempero da farofa da vida é o sofrimento pelo que poderia ser, mas não é; pelo que poderia existir, mas não existe. Farofa de saúvas cortadeiras, caçadas no hinterland baianense.

"Este coração que não é meu, como dá-lo?" pergunta Costa Leite aqui nesse livro e lá, às formigas cortadeiras. Oras! é isso, sem mais! O homem não é livre e seu esforço pela beleza é uma ilusão de liberdade. Ao mesmo tempo é o cultivo a um amor que existe, mas que não nos pertence (a não ser justamente por analogia. É como se nós pertencêssemos a ele. Cabe aqui essa palavra "pertencer"?).

Esse amor faz quebrar lanças, escrever livros, ter filhos, aprender grego antigo. Não é apenas uma loucura. A loucura, o amor doido, ele se propaga desesperadamente em todas as direções. É fúria perigosa. Ela destrói como a cachaça ou a temporada de chuvas tropicais, desbarrancando tudo.

Costa-Cobra sabe disso e por essa razão Danilo também é um caballero que quebra lanças, ele se mede. Não se atira loucamente em todas as direções, embora também queira isso. Quebrar lanças é castração e só a castração permite concentrar energia suficiente para aprender grego antigo, estudar aristóteles, ter filhos "no mundo de hoje em dia" sem de fato enlouquecer completamente.

E é dessa castração que advém em Costa Andrada Leite a erudição que hoje em dia precisa vir hiperlinkada nos textos. Erudição erudição erudição quase excessiva, que precisa ainda ser equilibrada sobre a sela do cavalo (cavalos e ginetes, ambos em extinção). Como é esse equilíbrio entre castração e ímpeto? Como não poderia deixar de ser: instável. Uma castração ardente somada ao ímpeto exuberante para que se possa enfim parir alguma coisa viva do interior desconhecido. Macunaíma da Costa Andrada-Leite.

E é assim que Costa-Cobra é alguém que quebra lanças enquanto drones bombardeiam o deserto. Para mim é óbvio que é preciso entender o motivo pelo qual se deve quebrar lanças, mesmo que os cavalos já estejam extintos. Do contrário nunca no futuro alguém entenderá o amor de um cavaleiro por seu cavalo, do-quebrador-de-lanças pela dama distante. Esse é um amor analógico, de ondas curtas e longo alcance, coisas que a era digital não compreende bem. As pessoas ouvem rádio pela internet sem entender ou querer saber o que é um rádio e o que é a internet. Mas como explicar que isso é importante para pessoas que têm memória externa?

É duro!

Há hoje esse povo tropical-urbano todo antolhado de hiper-realismo que quer estar em consonância com um cosmos metropolitano além de sua compreensão, idolatrando mãos invisíveis. Mãos invisíveis! As mãos invisíveis existem, pertencem a um Senhor: uma lhe afaga enquanto a outra lhe rouba. É por isso que os seres analógicos ainda são necessários. O analógico sabe que uma mão só é mão se pertence a alguém.

Mas agora virou resmungância... e me desvio. Isso também já se encontrará no livro.

Mas então é assim: o ser digital contemporâneo gosta e ama apenas por indução e digitalização. Ele não entende o que é gostar de gostar. Ele ama em bits, sem escalas ou ponteiros que se possa interpretar, quadraturar o círculo dentro de nós mesmos. O amor de hoje, quando não está on, não existe. Amor desnaturado sem face ou painel que se possa decifrar, consertar, revirar e absorver. Costa-Cobra está aí tentando mostrar pelos caminhos do erro que se pode gostar de gostar de qualquer coisa, próxima ou distante, dentro ou fora do horizonte e da atmosfera, seja em Itabira, Pasárgada ou Itá Anhangá. Mas há o lugar, o virtual não existe, como as memórias externas não existem (ou não são suas!). Há pessoas no deserto longínquo, debaixo das bombas.

E pode-se saber que há algo além do horizonte e saber exatamente o que é esse algo, mesmo sem nunca ter visto coisa semelhante. E isso só acontece pela concentração da energia pela castração, pelo quebrar-de-lanças intercalado ao disparar frenético do ímpeto para dentro e para o alto. Mas agora novamente me excedo e falo de idealismo.

"A antropofagia: um ideal". Talvez fosse a sentença de Novalis sobre essa obra de Costa-Cobra. E a antropofagia pode ser, afinal, algo muito econômico e lógico ou o maior dos bestialismos. É ambos: é um ideal.

Assim é que Costa-Cobra tenta legá-los, como um HD externo de papel, às próximas gerações.

Riyadh-Bibi, Arábia Paulista

Dia de Todos os Santos, 2019.

Ao nobre Serviço Nacional Apolítico Antideológico Desinteressadamente Ocupado com o Controle Cultural (SENADOcCC), rogamos aos nossos colegas integrantes deste excelso bureau pátrio o favor de aprovar a prensa e publicação desta obra. Liberai à prensa este opúsculo que apenas trata de um belo amor duplamente não correspondido.

E agradecemos novamente ao funcionário que deva deitar seus fatigados olhos sobre esta pequena coletânea de devaneios, que poucos pares de olhos verão que os leia se não os seus.
Ó, príncipe de todos os príncipes, senhor do orbe terrestre e do universo humano, gestor do silêncio, garantidor da paz apesar do aumento das guerras, apaziguador dos regimes civis ainda que cada vez mais excitadas as milícias, sublime e sapientíssimo ordenador das coisas menos dos lucros e dividendos, exibidor e corretor das injustiças embora mais mereça elogio da loucura que da cordura, comandante da coisa pública, dono das águas, dos fogos, das terras, defensor da virtude e regrador que nos tem aconselhado a cada dia, patrocinador desta novela e de outras que ainda se deitam em minha mente, sem descanso, declaro, adorado Inquisidor e Censor, agradeço!

O gesto de preito e a genuflexão que lhe dedicamos somente pode ser um suave e ridículo sinal de submissão, destinado a lhe fazer um pouco mais consciente de sua grandeza sem igual.

Salve a inquisição, que guia a censura!
Salve a censura, que cultiva o rebanho!
Salve o rebanho, que engorda o tesouro!
Salve o tesouro, que atrai a mão invisível!
Salve a mão invisível, patrimônio universal da humanidade!

Porto Seguro do Rio Buranhém, fevereiro de 2019

Nós, do excelente excelso Serviço Nacional Apolítico Antideológico Desinteressadamente Ocupado com o Controle Cultural (SENADOcCC), aprovamos que se dê à prensa e se publique a referida obra sem reservas, com votos de que colha apenas poeira.

Brasília do Lago Paranoá, fevereiro de 2019

Fabula fabularum

Sem desrespeitar os direitos do texto e os limites da interpretação, este trecho precedente não quer encarecer o texto que tem em mãos, leitor, nem pretende ser uma espécie de metassarcasmo, muito menos é um prólogo para o mesmo livro. De há muito abandonamos as figuras de pensamento para nos dedicarmos somente à administração das coisas reais, coisas que nos demandam cuidado verdadeiro e dedicação genuína, como a ordenação alfabética de livros, a compra semanal de bens perecíveis e a rotina de trabalho e de suor decorrente. Neste ambiente toda a ironia está abolida. Um mundo protegido por vidros transparentes não carece de que mudemos constantemente a perspectiva dos objetos. E o mundo atual é precisamente isso: cárcere de cristal com correntes de vidro. A vida verdadeiramente humana começa em nossa era, quando podemos enxergar de frente nossas necessidades, vendo tudo o que nossos irmãos humanos fazem e pensam. Tudo o que ocorreu antes é torneio de linguagem, alegoria, conto de contos para pessoas que não podiam fender uma subpartícula. A vida real não demanda o uso das figuras de pensamento e linguagem, dizemo-lo como novela e obra literária, que somos.

É a vida que precisa de coragem. O resto precisa de ordem, autoridade e um temor saudável – chamado de "veneração". As obras de arte são desnecessárias, assim como as demais artes e práticas lúdicas não-focadas no engrandecimento do trabalho e da propriedade, com seus frutos, condomínios e lucros. Tememos apenas a necessidade de catarse, a que as antigas formas de arte, esporte e brincadeira atendiam; tememos em parte, porque o melhor de habitar um mundo translúcido é a previsibilidade completa da natureza, a precisão e a exatidão dos meios de entretenimento e o paulatino embotamento a que submetemos os afetos. As surpresas e peripécias surgirão da ignorância humana, fonte eterna desta farsa. Como somos algo absolutamente supérfluo surgido em nome de ninguém, de maneira livre e desnecessária, tomamos a licença de nos dirigirmos a algo igualmente etéreo, impreciso, espontâneo e livre: o espírito do tempo. Ao espírito do tempo, sim, pois a quem outrem devemos reclamar a respeito do bando de idiotas e sinistros bandoleiros que grassam em nossas vizinhanças? A quem mais devo chamar a atenção por gerar filhos tão imbecis, incapazes de desconfiar das intenções dos poderosos, crédulos seguidores de juízes, de celebridades, de grandes donos de qualquer coisa? Como pode ter razão essa gente que inimista até objetos de museu sem perigo, prefere deitar lama sobre as cidades a distribuir a riqueza ou conter seus impulsos?

A quem podemos levar nossos temores e rogar por salvação, senão a esse senhor dos tempos, que une povos pelas heranças e pelas miscigenações, o qual os distingue também em pequenas e grandes etnias e nações, estabelece príncipes e súditos, cala os lábios dos sábios e depois abre a bocarra esfaimada da turba? Espírito do tempo, deixe um humilde conto de contos conversar ao pé seu, à sombra de uma mata tão boa e calorosa. Acho que os livros e seus habitantes, personagens, apresentações, orelhas e prefácios, são frutos de seu próprio tempo e em breve constituirão gênero literário a título próprio. O Poeta disse que "o futuro do escrever é escrever sobre o escrever" e o julgamos absolutamente correto, pelas razões acima: a arte e a brincadeira acabaram quando o primeiro estafermo confundiu um meme com um paper, isso é recente, sem dúvida. Porém não venho protestar contra o gênio oculto que resulta chamarmos de "história", "cultura", "mundo". Não! Nós, enquanto livro e obra, somos resultado disso também e, infelizmente, temos irmãos bastante tontos e entregues de mãos atadas a bíblias, vitrines e pólvoras, que mais mereciam o fogo ardente... do silêncio reflexivo. Honrar a quantidade de orelhas mais do que a solidão da boca, dizia Zenão, o fundador do estoicismo. Diga-nos, espírito do tempo, se nos for permitido imprecar tão elevada entidade, a quem aguardamos em auxílio? A nós mesmos? Se não for lícito conversar com um ser tão distante, sociológico, estruturante, filosofal, falaremos aos piores dos nossos irmãos, na esperança de que a mensagem ataque diretamente o seu alvo. Falaremos a quem gosta de censurar as constelações a meter-lhes roupas; falaremos a quem proíbe a arte, o amor alheio, o gozo sossegado do alvedrio sobre o próprio corpo, e quer aniquilar a outrem em razão de seu pensamento, sua identidade e seu próprio desejo.

A vós não ansiamos, irmanastros e irmanastras, o descanso inerte da morte, senão a permanente dúvida honesta e a inquietação interessada. Se um dia se provar que após a vida nos tornamos apenas cisco e pedra, que pelo menos vos torneis verdadeiros ônix tranquilos.

Se resultar que exista o tal céu e inferno, a vós não desejamos a frequência funesta dos reinos de Perséfone e Hades, senão a meditação beata no paraíso beatrício. Neste caso, contudo, inevitavelmente pelas asneiras que dizeis e fazeis, ireis ao inferno sem falta. Por favor, enviai-nos Orfeu como resgate por havermos sequestrado e acossado vossas almas por tanto tempo em vida. Certamente vos tombarão mil aflições pós-morte, como reuniões infinitas discutindo patentes, golpes de Estado, novas pistas de asfalto sobrepostas, novos ativos na Bolsa de Lúcifer. Ide enfim aos infernos in pace, se houver! Pelo menos, em troca dessa multidão de imbecis que invada o abismo, nos envieis Orfeu de volta à Terra.

Trocamos idiotas condenados por sua própria estupidez pelo vate trácio.

Porto Seguro do Rio Buranhém, fevereiro de 2019

A Carolina e Ernesto
não são só palavras:
liberdade,
felicidade,
amor e esperança,
revolução.

São inventos-missões.

de Troia a Itá Anhangá

\- Χαῖρε!

De meu sítio arqueológico me realço e venho
Da memória hexamétrica despenco e avoo
E, creio, faço o bem em te trazer esta notícia:
Da Turquia ao Brasil, por ar, oceano e terra,
Não vi no meio do caminho cavalo em lenho,
Cavalo em lenho não vi no meio do caminho
No meio do caminho em lenho não vi cavalo
Em lenho cavalo no meio do caminho não vi,

Nem ágil nau bojuda, esconderijo sem honor,
Acampamento velho de guerreiro junto ao rio.
Não tema Aquiles, Odisseu, Atenas e Hera,
Pois com Febo Apolo, Afrodite me empenho,
E minha fé na lembrança de Heitor acorçoa.

\- Χαῖρε!

Me ouve cuidadosa, Itá Anhangá: evita argivos!
Despede helenos, itácios, cretenses, não espera,
Se meu conselho é bom, um aviso inda tenho:
Reza por sorte melhor do que esta de ser trôa,
E quando o filho de Tétis pisar em ti, resiste!

Repele esse folgado príncipe, que só faz a guerra,
Me aguarda com tua mesa posta e teu engenho,
Chego logo a escutar prosa, beber e comer brôa.
Celebremos nossa amizade com danças e chistes,
Que Zeus, Nhamandú e Xangô nos unam pelas eras!

de Sherazade a Laura

O teu olhar é belo, menina, e doce
punhado de damascos secos e mel
pousados em faiança branca
- aurora alvissareira entre areias -
um sábio te quer roubar ao rei
e também o desejas tu
envolver num abraço sua língua
mais do que doçura, saliva tingida,
furtar ao tesouro real a lealdade de um homem

Deixa o ventre teu refletir
Argila firme e flexível
Ceder aos dedos ávidos.

Arde sobre o peito dele
Água a correr em pedra quente
E engana os elementos,
Como a cerâmica,
Vermelha e refrescante.

Aurora em um vale.

Sê ao sedento que sonha
poetisa
moringa de água matutina.

Estrela da manhã sobre Bagdá.

Seja teu sábio loquaz
utopista
minarete convocando à devoção e ao amor.

de Itá Anhangá aos turistas

A dos começos novíssimos,
postergada,
calendário donde tomba a folha branca
a cada dia
todo dia
com a sombra fugidia do primeiro de janeiro,
o seguinte, o amanhã.

Meu lema deveria ser outro: "o hoje nunca!"

eles não veem que esta é a cidade de Sísifo,
dos prólogos infinitos
labores que surgem como espíritos na selva,
curupiras,
ou
fogo-fátuo nos cemitérios.

de Tenochtitlán a Itá Anhangá

a pirâmide
sem nenhuma sombra já,
A ave quetzal,

Lindo azul negro,
Uma pluma da cor profunda,
trecho de dragão.

O sacerdote,
Ciclo para os céus e o maíz,
Ciclo do fado,

deuses contentes,
Os animais, a natureza. Lembro
Das filhas, filhos.

Longe no horizonte,
Um coiote, delírio, calor, fuga,
pedra-nume, que é?

A ave quetzal,
pluma da cor da noite,
pedaço de serpente.

Itá Anhangá,

pedaço de nume, qual?

A pedra.

de Son Wukong a Rodolfo

Alegremente
Um cajado em punhos
brisa bem fresca
regato com peixes
e gafanhotos
Cri-cri! Cri-cri! Cri-cri!
mais cigarrinhas,
aprender com cascas,
sementes novas,
como se de jade,
a conquistar
o conhecimento divinal,

vencer enigma
claro, encontrá-la
lá, Laura ao teu lado, ela signo do amor e sabedoria.

– Segue o caminho dos rios!

de Jaguaranho (outre tombe) a ti, um dístico elegíaco

Surdo, mais grave, mais comovente do que a harmonia audível,
Existe um estupor, desarrancado, rancoroso, horror, rôo.

do mesmo ao mesmo, quase o mesmo

Em volta do meu corpo há um cerro rocoso,
um raio,
mata fechada,
garoenta constância e marinho além.

Pouco a pouco me torno esta água que bebes,
a brasa que alumia, o peso da grama, nevoeiro.

Moído.

Estaremos juntos de novo um dia. Rôo.

de Itabira a Itá Anhangá

O ferro das empresas
ante o feltro de uma boneca,
Eu, maciça,
e você,
de maciez de musgos;

Que sou uma perna roliça apoiando as toneladas de minérios
Que por mãos lusas foram cravejar diademas britões

Você que é o dorso suave de colinas
Itá Anhangá,
suas pedras a emolduram
As minhas me compõem,
Seus habitantes deslizam
Os meus habitantes picaretam, bateiam, rastelam,

fazem poesia.
Encontrarão em meu seio o ouro?

Seus moradores semelham
fantasmas,
os meus se enristam firmes
chumbados no solo,
pedindo para que tudo fique,
quando,
na verdade,
aqui, tudo fica.

Seus fantasmas
A assombrar casarões distantes,
entortando com o dedo a sombra e o frio.

Pelo jeito,
os galos despertam Itá Anhangá no cio,
do movimento, da novidade,
a terra dos estrangeiros
colhe sua própria semente e a planta longe,
sonhando ser diversos lugares.

Eu, Itabira férrea,
Cem por cento de ferro na memória,
Se pudesse morar, compatriota,
"cidade dos novíssimos começos",
Eu moraria aí.

do narrador a Bashô

queda de folha
- córrego quase seco -
com um casulo

de Quixote a Rodolfo

Más me asombra este día claro
Que me alivía noche oscura

Temprano el pecado apresura,
"¡venid por mí!" la virtud conclama
Y el caballero fiel a su dama
como nosotros dos, mi amigo,
Amadíses, muy presto venimos,
defender con amor, fuerza constantes
la fe y gloria nos de buen talante,
contra inimigos indefinidos

Más me asombra este día claro
Que me alivía noche oscura

Aúnque nuestra cabalgadura
Discierna mejor cada paso
Huellas, agujero, hierba, palo,
Al final el Sol nos cocina,
el cerebro frágil solo delira,
frito, confundido, mira adelante,
la fe y gloria nos de buen talante
contra inimigos indefinidos

Más me asombra este día claro
Que me alivía noche oscura,

Pues la Luna en toda su hermosura
descanso, sueños nos dando, faros,
realizando amores, puros o raros,
imágenes, probaciones, peligros,
basta razón y no delinquimos.

Con visiones, razón no es bastante,
la fe y gloria nos de buen talante,
contra inimigos indefinidos

Más me asombra este día claro
Que me alivía noche oscura,

Oye, Rodolfo, la lección segura:
dos ruedas de un mismo carro,
locura y cordura; somos perrito
no listo atado, que sigue, o listo,
a atacar molinos, o sea, titanes,
la fe y gloria nos de buen talante,
contra inimigos indefinidos.

de um sábio da Costa do Rio Benim cativo, crendo ver no outro continente uma história de amor

é uma miragem
é um sonho apenas,

pois não pode haver afeto
onde os chicotes lanhando gente
tentam antecipar os galos.

E os filhos dos nativos
e as crianças do Benim crescem mais rápido que
mamoeiros,
para servir, sofrer e fugar-se
para dentro do ka'a, do matagal,
de si mesmos.

ai! se houvesse um único casal feliz,
não o casal que acreditei ver
- não existe aqui mãos coladas, gomos de jaca -
era mentira do feitor e do capitão-do-mato
os filhos desses fazendeiros não têm
ato de amor humano,
Resistente como o sorgo, imbatível,
Saudável como um cozido de inhame e saboroso,
capaz de liberar o nutriente essencial
da boca
da arca
do baú
da nau
da prisão
do caixão
da amarra
da corrente

da senzala
da redução
do toque-de-recolher,
antes que ele comece a sufocar e precisemos ir buscar e
lutar.

Por favor,
haja um casal apaixonado
Qual os que conheço de minha terra,
Existam por aqui,
Antes que desça e suba até a ajuda dos abismos, dos mares,
dos céus e das montanhas!

Acordaremos finalmente os galos,
libertaremos meninas e moleques,
E haverá casais apaixonados também aqui,
É um sonho apenas.

É uma miragem.

de Pedro a Mariana, segundo F. G. Lorca

Mariana, ¿qué es el hombre sin libertad?
¿Sin esa luz armoniosa y fija que se siente por dentro?
¿Cómo podría quererte no siendo libre, dime?
¿Cómo darte este firme corazón si no es mío?

de Itapoã a Itá Anhangá

Me falta só um descaminho
para chegar a Itá Anhangá.

Me traz uma bromélia, amiga,
Como se tua mata ainda enchesse de água
Plantas que parecem copos rasgados...

Sou tua praia, vem a mim,
sou toda ouvidos
sou toda olhares e te fito.

Penso em montes,
o dia nascendo, a manhãzinha,
novos começos, neblina leve.
Nuvens carregadas de chuva,
uma cidade se lavando, sóbria.

Penso em ver a aurora,
Sem escutar bêbados nus, senão encapotados,
num boteco próximo à Praça Villa-Lobos.

Itá Anhangá, vem a mim,
Me traz aquela bromélia,
um copo de caldo de cana,
quero a transcendental pinga com quibe!

de Pasárgada a Itá Anhangá

Vou me embora pra Itá Anhangá
Todo mundo quer ir pra lá
Lá sou velha amiga do paxá
Em Itá Anhangá eu vou morar
Tem muito homem bonito que ama
E muita mulher que nunca amará

Vou-me embora pra Itá Anhangá
Me disseram que ela não existe
Me disseram que eu não sou pedestre,
Que eu sou maravilhosa,
Me disseram: "Fique onde está!"

Digo: "fico, desde que me tragam aquela,
A pequena joia do Hemisfério Sul engastada no monte
Abluída com o luar, onde as imperfeições das linhas
São as singularidades mais aguardadas."

Me perguntaram: "qual é esta?"

Digo: "Itá Anhangá"

Em Itá Anhangá tem vendedor de livros
Tem alguns políticos inocentes
Tem padre masoquista
Tem os velhos jogando dominó
E muitas velhinhas dementes
Tem o helicóptero da prefeitura
Sobrevoando o pátio dos casarões
Tem nordestinos vivendo morte e vida duras

E quando eu, Pasárgada,
Consumir todo o meu ópio
Consumir-me em ilusão, de não aguentar mais,
Aguardo o sono de meus vigias,
Convido os meus amantes mais sedentos,
Pego as últimas garrafas de tequila
Enfio na sacola e
Vou-me embora de mim!

Me viro em outra terra
onde sou amiga de cacique
onde conheço um viúvo rico
e os pilotos de escrivaninha
com seus amantes bonitos que adoram os casinhos silenciosos.

Lá sou velha amiga do paxá
Vou-me embora pra Itá Anhangá!

de Stephen Dedalus a Laura

Thy fondness never, Laura, shall be stol'n,
In greedy impulse, by fashion, rhyme or deed
The chest is ruin'd approaching force too swollen
Instead of lying lured with fastened steeve.
Herculean tale and Orphic song, vain prince,
Resounding fame doth shake the feeling sound
Elusive means to charm bewitch convince:
The highest lyre wilt serve whichever crown.
Deserveth thy fair appeal who's stiff of goals,
thy love therein would pour ignitéd steel.
Petrarca'against Rodolfo, public foes,
Although to free prefering fake a will.

But why must art attempt to press the flower?
The bloom's revealed by nature, love, its hour.

de um estrangeiro a Itá Anhangá

Meus pais vieram aqui há trinta anos
Eu era só criança saída do reinado
Chegamos a esta cidade-criança
E cá meus pais forraram a pança
Com golpes e com concreto armado,
Por isso estão presos na cadeia, levianos

E, para cuidar deles, hoje sou carcereiro.

do narrador a Lúcia

ver
te
cal
me
que
imã
des
em
boca
de
ré
pente
meu
astro
lábio
água
ar
dente

de Rodolfo a Laura

Falamos fogo um ao outro
Meu pensamento lambe a sua lembrança
Qual labareda a queimar uma casa
E eis que se realiza, se materializa
Transtornada pela minha teimosia
Laura, minha musa desavisada

A mulher mais distraída
Aquela que mais existe
É aquela que eu procuro
Há anos.

Falamos fogo um ao outro
Imagino seus pesadelos mais cruéis
Qual labareda a queimar uma casa
E eis que eu volto galante, e a vejo
Transtornada pela minha teimosia
Então se desequilibra e tropeça
Laura, minha musa desavisada

A mulher mais distraída

de Makunaima ao narrador

Se você quiser ser meu amigo,
Não diga nada ao seu autor.
Lhe ensino e é de uma vez isto:
Pegue um umbigo de nativo, de preferência da Venezuela
 - porque é de lá que vim -
Junte dois dentes de calabrês
Um par de ouvidos internos de jaguares
Trinta quilos de içá
Deixe marinar com limão, pinhão, mangaba e cajá, sete dias, sete noites.
Peça um autógrafo póstumo a blocos de cimento,

Traga-me quando puder,
Estou feito seu melhor amigo. Agradeça-me.

Se você buscar a sabedoria,
observe um violão tangido pelo vento,
aceite a verdade, a única verdade,
para viver, mata-se um rio por dia,
e nunca se atravessa o mesmo leão duas vezes.

Não espere diplomas de carvalhos.

de Aldonza Lorenzo a quem interessar possa

Ayudeme, no sé escribir,
Por eso le pido a um amigo que lo haga,
¡Que se publique pronto este pedido!

Soy una pobre campesina
Cuido a los puercos de Don Alonso Quijana,
El cual me acosa con raros estribillos.
Día y noche en cuanto viva
Solo me habla, me guarda, me mira, cabalga,
Llamame "Dulcinea, Dulcinea", suspira,

"Flor del Toboso", me dice,
Como si esperara un heroe, fuese dueña pagana.
Y "señora!" el chiquillín Sancho repite.

Pero que quiere él de mí?
Estoy por perder el seso, Dios, ya no aguanto,
señor, señora, ayude a huirme de aquí.

Dondequiera envíeme,
Supe de una ciudad llamada de "Itañangá",
Ruego mandar buscarme desde allí.

de Paul Éluard a L.

(...)
Sur toute chair accordée
Sur le front de mês amis
Sur chaque main qui se tend
J'écris ton nom

Su la vitre des surprises
Sur les lèvres attentives
Bien au-dessus du silence
J'écris ton nom

Sur mes refuges détruits
Sur mes phares écroulés
Sur les murs de mon ennui
J'écris ton nom

Sur l'absence sans désir
Sur la solitude nue
Sur les marches de la mort
J'écris ton nom

Sur la santé revenue
Sur le risque disparu
Sur l'éspoir sans souvenir
J'écris ton nom

Et par le pouvoir d'un mot
Je recommence ma vie
Je suis né pour te connaître
Pour te nommer

L.

de Laura a Rodolfo

Ainda que nunca te encontre de novo,
Onde houver uma noite bem enluarada
Minha boca te balbucia.

Sempre poderás ser outro, não te sei,
Não temeria te querer por engano
Amando bem a outrem.

Paixão de infância logo se perde, caro,
Mantê-la é tesouro pejado de tolice,
Entretanto, tesouro.

Nos rostos existe algo teu, familiar,
Talvez os centros dos olhos chispem
Aquela tua fagulha,

Torsos e lágrimas são semelhantes,
Gente retorcida de ansiar e desansiar,
Gente humana, eu e tu.

E pensar que até ontem te esquecia!

Quem diria: até ontem te ignorava!

Passo o hoje e passado ele, te entendo,
também se pudesse te procuraria,
ainda que em silêncio.

Um cigarro se apaga no cinzeiro agora,
Sonhei com uma poesia e um herói,
Só as cinzas são reais.

Dá-te por satisfeito, Rodolfo, duma vez,
Quem ama é amigo admirado. Estás aqui,
Dentro da felicidade.

E não encontrar-te é já te encontrar,
Pois quem jamais se cansa de achar
Acha em toda parte.

Amanhã não há, o que é isto?

Ontem, como o rio, rumo ao mar,
aonde vai?

Hoje estamos sozinhos
E os olhos nunca se abrem a tempo,
Embora abram amiúde.

Típico telhado de uma casa em Itá Anhangá.

I

Ele, por sua vez, deitara na cama muito tristemente na noite anterior, e, naquele momento, já ia alta a madrugada de Itá Anhangá, "a cidade dos novíssimos começos" - eis o epíteto que a administração pusilânime da cidade lhe arranjara. Rodolfo estava enrolado no cobertor suando, febril, naquela noite fria. Rolava na cama, desesperado. Seu pai havia feito uma visita breve no dia anterior, só para uma longa conversa, e lhe disse coisas carregadas de amargura e pesadume, o rapaz quis não chorar. E não chorou. Seu pai mandou recados da mãe e da irmã mais velha, Elas sentem a sua distância, filho, eu também, Nossa casa está tão perto, filho, Você não pode continuar assim[2], conclua logo este curso seu e dê um jeito na sua vida ou volte para...

Para a outra cidade, ele pensou, onde seria apenas o filho, o associado, o apêndice de outrem, cuidado pela mamãezinha o dia todo Você está comendo, Posso lavar suas roupas, filhinho, Não volte tarde demais, estamos te esperando para jantar. Ia rolando na cama com frio, um pouco para cá, um pouco para lá, Talvez ele tenha razão, torceu o nariz falando consigo mesmo e olhando de relance o dedão do pé que escapava das cobertas. A outra cidade, no entanto, não era sua casa, não tinha o cheiro de pedra molhada da primeira infância, nem a garoazinha gelada que entrava no cangote, entre o gorro, o suéter e a camiseta, e descia até a base das costas e fazia as crianças encherem o peito de sons inesperados, resfriados e tosses. Não, ele não pretendia levantar da cama nunca mais, definitivamente, porque esse passo implicava na série quase necessária e

---

2 O Instituto de Meteorologia de Itá Anhangá registrou, naquele dia, uma das temperaturas mais baixas da sua história, desde o início do funcionamento do ITI, há trinta anos.

quase infinita de outras etapas que culminariam em sua fuga de Itá Anhangá. Seu peito doía com a possibilidade, ou seria a falta de exercício físico?

Meus pés são a única parte do meu corpo que quer estar em riste neste momento, meditou com um sorriso no rosto. Ora essa, e não lhe parecia corar o dedão pego em flagrante desejo de caminhar? Não sabia dizer ao certo se aquilo ia mal ou muito mal, por um segundo imaginou o pé inteiro indo sozinho pela cidade e notou o bronzeado distinto entre aquele artelho e a canela, muito branca e fininha. Como é possível que ele esteja bronzeado e eu não? Fechou os olhos embaixo das cobertas.

Bronzear-se como neste raio de vila fria?

Rodolfo pensava exatamente a mesma coisa que o pai, não queria ser um peso para sua família, um fardo. Não. Chacoalhou a cabeça e lançou para longe o cobertor, continuava se mexendo aos poucos, nostalgicamente, melancolicamente, como um anelídeo revolvendo a terra. Estava suando profusamente sobre o lençol. O lençol por sua vez já estava quase escapando da superfície do colchão, pendurado como um montanhista, por uma mão, sentido o hálito do abismo sugá-lo por baixo: será que eu vou resistir aqui? Se eu cair, eu voo? Se eu voar, onde pousarei?

Era assim que estava começando a revolver o solo: para emergir e tentar ver as coisas com mais clareza. O irônico era notar que nunca estivera tão febril em toda a sua vida, o irônico era notar que nunca estivera tão fatigado, tão massacrado, tão confuso. E tão decidido. Essa situação já durava oito dias, um arrebatamento que o afastara da companhia dos amigos habituais, e da faculdade, e das visitas periódicas à casa de seus pais. A mãe enviara, por meio de seu pai, uma pequena caixa de papelão com remédios recém comprados à farmácia, um termômetro para medir a febre, uma lista simples de procedimentos. Aqueles cuidados lhe soavam como uma intromissão por procuração, assim que o pai saiu da casa, fez questão de esconder tudo sob a cama, Ora, essa, então era e/ou não era adulto o suficiente para enfrentar um pequeno problema de saúde sozinho?

E nunca estivera em tão boa companhia: a companhia de si. Já ia esquecendo o que era a vida sem um tanto de sofrimento.

E a madrugada ia calmamente atravessando os seus delírios. Os olhos fixos como lâmpadas no teto observavam a escuridão. As persianas do quarto tinham frestas horizontais que se projetavam obliquamente, iluminada de fora pelo poste de iluminação. No total deve ter dormido um minuto - pensava - até que aquele caminhão passou pela rua de sua casa - com certeza, algum caminhão carregado de soja rumo ao porto de Santos. Rodolfo sabia tudo daquela cidade, amava e conhecia cada centímetro, as rotas dos caminhões, a rota dos turistas, a rota dos fortes ventos, a rota dos pássaros, a rota das estrelas. Sabia que aquele era o dia de uma das maiores festas, o dia do aniversário da cidade, que, por acontecer na penúltima semana de junho, ganhava ares de festa junina. Rodolfo riu-se no refletir sobre a conveniência daquilo. Afinal, vivia em um enclave, um meio-de-caminho: uma pedrinha. Mas uma pedra muito aconchegante, de noites deliciosamente frias para o seu gosto sobremaneira notívago. E ele não se lembrava ao certo quando descobriu as noites daquela aldeia, interiorana e colonial, abandonada e plena de gentes de muitos lugares. A verdade era que, em que pesasse os muitos séculos de sua existência, fora praticamente abandonada depois do ciclo de caça e assassinatos de nativos. Só no século passado se estabelecera, de alguma forma, como uma cidade-dormitório, cheia de bêbados, forasteiros, caixeiros, prostitutas, pessoas muito autônomas, habitando-a progressivamente toda, desde os derredores das ruas e avenidas principais, com os casarões imensos e gigantescos, das decadentes famílias abastadas da era do café, até os recém-subúrbios[3].

Tudo muito contíguo, Itá Anhangá era de uma complexidade de um caleidoscópio, outro dos objetos favoritos de Rodolfo. Seu avô era um imigrante que criara o filho naquele lugar, seu pai era um retirante que tentara a vida na capital, antes de se casar com a melhor amiga de uma prima e retornar, ele era um universitário de pouca ambição, sem estirpe, sem rumo, cujo único plano era regressar à terra natal, lugar onde ninguém mais de sua família queria morar. Seu avô e seu pai faliram negócio aqui, Rodolfo pensava E por que eu não tentarei algo para me fixar neste lugar? Era a vontade de desafiar o ciclo vicioso de falências patrilineares que o trouxera ali?

Para alguém que voltara à cidade há dois anos, depois de quase doze anos ausente, afinal nascera em Itá Anhangá, tendo ali vivido até os oito anos, já se sentia novamente um pleno cidadão itanhanguense, não obstante os naturais não pensassem o mesmo. Era necessário lidar com o preconceito de alguns colegas de sala e seus círculos sociais, que claramente tinham um orgulho bizarro de serem "imigrantes que se fixaram para sempre em um lugar": um orgulho desse não precisa de justificativa. Não precisa, porque afinal o que é tão francamente irracional prescinde das palavras e dos argumentos.

Nisso e nos caminhões de carga, ele ia pensando e assistindo as cenas em que esteve em pé, como um espectador aborrecido, escutando as conversas nos restaurantes e padarias, a prosa de gente doida, preocupada com o sobrenome da noiva de Pedro, de João, de Paulo, sendo que Pedro e Paulo eram claramente um casal desde o colegial.

3 A vida cultural da cidade era agitada somente pelos campeonatos de truco promovido pela prefeitura; pelas ciganas que liam a sorte dos passantes de graça pagas pela prefeitura e pelas casas de bingo que se tornavam bordéis, após as dez horas da noite.

As preocupações alheias saltaram à sua cabeça então, tentou se concentrar de novo em tudo o que planejava fazer no dia seguinte, contudo não pode esquecer as conversas ouvidas sorrateiramente aqui e acolá, aqui uma velhinha falava em levantar os muros dos prédios para que ninguém pudesse saltar, ver, ouvir sentir o que se passava dentro; acolá era um mecânico escutado por acaso perto de casa, explicando a seu David, o dono do apartamento Respeito muito o senhor, mas vou dizer a verdade, esses imigrantes não sabem dirigir, o senhor é exceção, mas a maioria dos problemas, batidas de carro, pode observar, tudo culpa de forasteiro, às vezes nem é estrangeiro, pode ser de uma cidade vizinha - vai entender! - parece que, quando pisam em Itá, perdem a habilitação automaticamente, se esquecem de dar seta, estacionam mal e o escambau, o senhor David é exceção, parece motorista de táxi, é profissional.

E Seu Bruní rindo, respondendo modestamente Fui motorista por mais de vinte años, amigo, trabajé em el Consulado...

Voltou a frear seu curso mental nos enfeites juninos em frente ao Consulado, seguramente o edifício mais bonito da cidade, que adotava sem pudor as bandeirolas multicolores e abria seus jardins à população local. A cidade estava vestida toda com os cordões de bandeirinhas amarelinhas, azuis, verdes, vermelhas, violetas e lamparinas de luzes fraquíssimas e tirantes a um amarelo-fosco meio doentio e caloroso, por isso, sem dúvida, íntimo. Talvez, devido à situação em que estava, qualquer coisa pareceria doentia e calorosa. O delírio se regozijava em trazer as cores à mente, o mais rápido possível, e ele só conseguia prometer a si mesmo comparecer sem falta à festa, para comemorar o aniversário de Itá Anhangá "a cidade dos novíssimos começos".

II

Ela gostava da noite. Muita gente não gostava. Não se envolvia em qualquer sono. Precisava estar cansada. Por isso dormia muito pouco, porém sempre um sono pesado e profundo. Mantinha a companhia constante de um maço de cigarros baratos, com uma caixa de fósforo, ambos sempre no criado-mudo ao lado da cama. Seu quarto tinha uma aura de kitchenette em casa de repouso, pois vivera ali desde a mais tenra infância, ali recebera amiguinhas, namoradinhos, tios, primos, ali se masturbara pela primeira vez e também pela última, três dias antes. Sua boneca preferida, seus livros de colorir, seus diários de adolescência, suas tentativas de leitura do baralho de tarô, fantasias de carnaval, agendas de telefone, fotos, pequenas lembranças de viagem, um violão eternamente visível e usado ultimamente como porta casaco, calcinha, chapéu...

Tudo envolvido em uma leve camada sutil de fumaça de tabaco, quando algumas notas de cannabis não salpicavam aqui e ali o buquê perfumado daquela falsa kitchenette. O ambiente já resistia a empreitadas de limpeza materna, algo odorava permanentemente, eram os incensos que queimavam de vez em quando, sândalo, bálsamo, impregnando os colchões, lençóis e roupas. Perfeitamente eclético, o quarto de Laura fundia momentos de sua vida e influências malucas, que guardavam a sua existência de qualquer tédio, bem como de toda mudança genuína. Antes de adormecer, fechando um livro e olhando o teto tinha a impressão de que, se algo verdadeiramente novo caísse em seu colo, seria posto ato contínuo na segunda gaveta da segunda porta do armário, junto de bibelôs herdados e de jogos de tabuleiro ainda não usados.

Naquela hora - exatamente - estava sonhando com um castelo medieval, no qual ela era a rainha, a princesa, a governanta, a castelã, a líder da guarda, a serva, era todas as personagens do castelo. O curioso é que essas personagens não tinham o mesmo rosto, não, uma tinha as suas mãos, outra os seus cabelos, outra a sua voz, outra os trejeitos. Não sabia dizer donde vinham as outras partes, amigas suas, parentes, atrizes? A comida era distribuída pelas mãos às bocas. A inspiração para a prataria e o cenário era uma miscelânea de filmes ruins que estava assistindo ultimamente, coisas de terror, suspense, vampiros, e mais as toneladas de gibis que lia naquele papel jornal ruim, rasgando-se a todo momento. Era um cenário mal desenhado, com personagens repartidos. Depois as partes de seu corpo correspondendo às pessoas do sonho começaram a flutuar sozinhas, sem se encontrarem mais, cabeça de cá voando dentro de um vestido, pernas de lá correndo embaixo de um collant de ballet, mãos na cozinha ajeitando um avental flutuante, um ventre nu na cama como uma escultura de um torso preguiçoso.

Uma batida forte, como a de um aríete em um filme comercial, em que um ator principal se agita entre figurantes esforçados, agitou a porta de entrada. Aquilo era inesperado, até porque as meninas estavam muito bem sozinhas conversando animadamente sobre assuntos aleatórios de sonho: ejaculação precoce, felinos mais velozes, rãs fritas, melhores métodos de memorização de países e capitais, regras de D&D. Outra batida forte. Mais outra. As meninas começaram a se agitar e passaram a pegar partes de coisas para preencher o que lhes faltasse: candelabros, velas, capacetes, pés de mesa, sabugos de milho compunham pessoas com as mãos e as pernas antes soltas. Aquela multidão de mulheres-pedaços se empurrava desesperada, rolando aqui sem equilíbrio.

Ninguém se reconhecia mais! Eram mulheres feitas de pedaços de coisas, ao mesmo tempo em que eram distintas, todas eram Laura e somente ela.

E eis que um cavaleiro andante chamou à frente do castelo, no portão, dizendo "Belíssima Senhora Laura, a flor dos campos desta minha Itá Anhangá, a mulher mais desejada pela cavalaria andantesca, venha receber este vosso servo que peleja só para servir-vos". Ao que respondeu Laura-castelã, só boca em cima de cacarecos, responsável pelo portão, "Vade-retro, senhor cavaleiro, que a dona do castelo não quer que ninguém entre". O cavaleiro foi então embora, em seu cavalo pardo e robusto, cavalgando lentamente para fora do sonho. Um breve quiprocó se passa dentro do castelo, porque as Lauras não sabem a quem o cavaleiro chamava. Depois de uma discussão, chegaram à conclusão de que deveriam trocar de posição - passando a rainha a ser governanta, a serva a ser princesa, a princesa a ser castelã e assim por diante - para verificar se o cavaleiro saberia qual Laura chamava especificamente.

Enquanto ainda estavam se preparando, trocando peças, membros, roupas e mudando os penteados, indo a seus lugares no castelo, o cavaleiro da Triste Figura voltou, no seu pardo e robusto cavalo, lentamente se aproximou do portão e disse "Belíssima Senhora Laura, a flor dos campos desta minha Itá Anhangá, a mulher mais desejada pela cavalaria andantesca, venha receber este vosso servo que peleja só para servir-vos". Ao que respondeu a Laura-princesa-castelã, só mão, agora responsável por este portão, escorregou para fora um bilhetinho manuscrito onde se lia: "Vade-retro, senhor cavaleiro, que a dona do castelo não quer que ninguém entre". Assim, este sonho de Laura ainda se repetiu por mais umas cinco vezes, que lhe pareceram cem, jamais mudando o itinerário: o cavaleiro vem, o cavaleiro é expulso, as Lauras do castelo querem saber qual de todas as donzelas o cavaleiro chamava, e, para testar o cavaleiro, elas resolvem trocar de posição, o cavaleiro volta, chama sempre a "Senhora Laura", mas elas não sabem quem é a "Senhora Laura", por isso o mandam embora, e tudo se repete.

Laura estava angustiada com este sonho. Visivelmente perturbada pelo sonho, ela se revirava na cama, de bruços e movendo o braço direito sobre o criado-mudo ao lado da cama, derrubou o despertador - se bem que isto acontecia praticamente todo dia. Acordou e procurou o despertador. Muito nervosa e tremendo ligeiramente, olhou para o chão e ele (o despertador) jazia resistente. Então tudo bem, pois estava em seu lugar. Às apalpadelas, tocou o maço de cigarros e a caixa de fósforos. Com o cigarro na mão, pensava que devia ser a única pessoa a ter pesadelos, depois de ler Cervantes.

Fumou o cigarro quase sem se dar conta. Apagou a bituca, e, cansada, quis dormir. Começou fechando os olhos conversando consigo mesma "Vai passar, vai passar" e depois se pegou pensando sobre o que ia passar... Seu medo era inexplicável. Conferiu a bituca, talvez inconscientemente temesse que ela queimasse algo. Por sorte e como ocorria praticamente todos os dias, ela caíra dentro de uma bolsa feia de plástico multicolorido, presente brega de um ex-namorado, onde suas revistas ficavam uns anos antes. Agora era a lembrança de um relacionamento fracassado e um cinzeiro enorme. Antes de adormecer, todavia, não se lembrou especificamente da festa de aniversário da cidade que aconteceria naquele dia. Pegou-se pensando nos desvios que precisaria fazer em seu caminho, já que havia uma semana as ruas estavam interditadas. Seu senso de direção era péssimo, por isso não gostava de mudanças de caminho feitas à toa, estava tão entretida com esse pequeno rancor no coração pesado, que cerrou os olhos suavemente jurando vingança contra as pessoas que tiveram a ideia torpe de desviar seu caminho.

Laura voltava ao seu sono, no qual o sonho repetir-se-ia por mais cinco vezes.

III

Para onde ia a soja depois de Santos? Não sabia... China? Japão? Moçambique? O professor de economia, um tipão bem orgulhoso de suas "raízes", comentava ano passado sobre a oscilação do preço das sacas e sobre como o país dependia muito das commodities, que essa dependência destruiu pequenos vilarejos que precisavam da indústria para prosperar, E que diferença faz, professor? Aqui em Itá Anhangá só tem olaria e serraria? um aluno, forasteiro como ele, interrompeu a viagem desenvolvimentista do professor.

Professor, por que precisamos de aulas de economia em um curso de engenharia, hein? Rodolfo chegou à parte mais dura e ridícula da lembrança, a saber, o momento em que ele mesmo decide interromper a interrupção alheia com uma observação infeliz. Me diga, professor, em que nos auxilia saber sobre contas do governo, curvas de oferta e demanda, não aguentamos mais decorar fórmula e ainda inventam uma disciplina de humanas com mais fórmula, modelo. Foi um pacote de desabafo completo aquele dia. A vergonha e a descompostura que levou do professor também foram profundos e completos; essa era uma das disciplinas em que precisaria se esmerar para conseguir o almejado canudo de bacharel. Suas faces ardiam em brasa, o que é isto: vergonha ou febre?

Sentiu com as mãos os cabelos molhados de suor. Sem poder distrair sua febre por um segundo, admitiu que o caminhão era suficiente para que fosse levado a tentar se levantar da cama e pensar mais calmamente. Talvez o pai lhe tenha deixado um analgésico. Talvez o pai assistisse a tudo escondido. Talvez lhe tivesse deixado dinheiro para o remédio. Talvez seu progenitor compreendesse seu delírio. No corredor houve um pequeno impasse entre ir ao banheiro, onde estavam os remédios, e ir à cozinha beliscar alguma coisa e com sorte beber um copo de água ou de outra coisa. Durou pouco a dúvida: arrastou-se até a cozinha, sem acender nenhuma luz na casa, e percebeu que ele lhe trouxera uma garrafa de bom vinho - ou mau vinho - que fora deixada fora da geladeira, o que calhou deveras naquela noite fria[4]. O vinho deve ser consumido a exatos 15° centígrados, meu filho. A madrugada estava empenhada em colaborar com a recomendação paterna, mantinha aquela temperatura religiosamente, como se ela também quisesse uma taça da dita beberagem.

Escolheu o primeiro copo que viu. Encostou-se em uma parede e foi se arrastando para uma cadeira que ficava próxima à saída da cozinha. Bebeu. Toda a garrafa. Agradeceu o hábito paterno de comprar bebidas alcoólicas e de preferir beber na casa dos outros, afinal sua esposa não aprovava o costume. Entre outras coisas, trazia queijos, pães-de-queijo, os quais comprados a uma padaria ruim perto do apartamento de Rodolfo. Seu pai conhecia melhor o comércio das redondezas do que ele, Também pudera! o rapaz refletiu, minha vó fazia compras por aqui quando ele era pequeno, conhece os pais do dono da locadora, os atuais açougueiros, estudou na mesma escola que o despachante, blá blá blá.

Estava totalmente ébrio, encharcado de vinho tinto, não sabia quão rápido tinha bebido aquela garrafa[5]. Os dentes tingidos daquele tom verde arroxeado, as gengivas índigo, suando, cambaleante, sorrindo, exultante, queimando em uma febre que transformava seus sentidos em hastes de metal esperando a chegada do raio fulminante de um temporal. Entrou no quarto se debatendo, como um peixe

4 Tratava-se do internacionalmente desconhecido "Val d'Itá Anhangá", da cepa dos bons Shiraz, que o pai não deixava de comprar quando vinha vê-lo, e beber em porções de um copo por dia, no horário do almoço.

5 Segundo nossos cálculos, ele levou cerca de onze minutos para beber aquela garrafa.

recém-apresado, cativo de si mesmo, mal se mantinha em pé, já se esquecia do remédio - que tinha sido a melhor ideia desde que acordara naquela madrugada - e aproveitava a carnavália que ele mesmo instaurara no seu apartamento. Por um milésimo de segundo pensou que alguém na rua poderia ouvi-lo, pois seu apartamento ficava no primeiro andar. A janela dava diretamente para a rua - mas, neste instante, estava longe de pensar no tamanho do apartamento, na rua, no horário em que tal cena acontecia.

Alguém, porém, está a pensar nisso, e o que importa é que o apartamento era insignificante, abafado naturalmente, cada parede da sala - o maior cômodo da casa - tinha três metros, cada parede do seu quarto tinha dois metros, a distância entre o chão e teto era de pouco mais que dois metros e meio. O chão de todo o apartamento era revestido por carpete - carcomido aqui e ali pelo tempo, era nisso que ele queria acreditar - de cor verde e as paredes eram brancas e amarelas ao mesmo tempo. A parede de cada banheiro estava recoberta por azulejos de um verde muito vivo, o chão era coberto por uns azulejos velhos e amarelados com desenhos que lembravam arabescos se enganchando, de vários tons, do azul-turquesa, passando pelo verde-claro até o branco. Assim estava recoberta a parede até a altura do pescoço de Rodolfo, o resto da parede fora pintado de uma cor meio bege, com tons de marrom nos cantos, e muito amarelada no teto. Cada parede deste cômodo tinha um metro e meio. O chuveiro se apertava quase sobre o vaso sanitário azul, então - por obra do mau planejamento - havia um intervalo onde ele deixava o rodo para levar a água ao ralo, e a pia também azul e o armarinho também bege.

Contrariamente ao que ocorre em outras novelas do mesmo gênero, isto é, personagem bêbado, quase decepção para a família, sem rumo e pendurado na muleta da vida universitária, seu senhorio não era o maior salafrário, vilão, ganancioso do bairro; não se tratava de alguém perigoso e ameaçador, nem exigente e castrador. O dono do prédio era um senhor de meia-idade paraguaio, pequeno e moreno, barrigudo, de longos bigodes pretos, careca, fedendo sempre à cerveja, muito amistoso e que fora o único herdeiro de um irmão, fulminado ainda jovem por um ataque cardíaco, depois de ganhar muito dinheiro como advogado na capital. Seu David por sinal sabia ler as fraquezas de seu inquilino muito bem, imaginava que toda aquela inatividade dos últimos dias se devia a alguma doença, síndrome, melancolia. Cogitara ir visitá-lo, levar-lhe uma travessa de bolachas recheadas, pois quase não cozinhava; passou a mão no telefone e pretendera telefonar ao rapaz; iniciou muitas empresas para atender e auxiliar o menino, entretanto alguma outra preocupação a cada vez assomava. Algo lhe dizia que aquele menino precisava de orientação. No meio da madrugada abriu os olhos e pegou-se pensando na encomenda enorme recebida pelo rapaz, o que era aquilo, uma Divina Comédia? Espero que seja uma Bíblia...

Rodolfo morava ali em seu apartamento desde que voltara a Itá Anhangá, seu pai o convenceu a alugar por um preço abaixo do mercado, pago regularmente. Pero, a que viene su filho a Itá Anhangá? Ele vem para fazer o curso de engenharia civil. Faltava ao pai saber toda a verdade, pois ele vinha estudar, de fato, ou montar uma loja de roupas, ou montar um boteco. Já não se lembrava do motivo que o levara àquela cidade. Lá chegando, encontrou aquele prédio velho no centro da cidade, na Rua Galateia, em uma região onde moravam corretores de imóveis, vendedores e professoras com seus filhos. Adorava a vizinhança. O prédio era pequeno, tinha três andares, seis apartamentos ao todo, ocupados por Rodolfo e pelo dono do prédio no primeiro andar, pela família da viúva Lourdes e pelo dono de uma serralheria (amancebado com a dona Lourdes) no segundo andar e no terceiro - e último andar - moravam, no apartamento que dava de frente para a rua, um professor com sua filha, e uma secretária morava no apartamento dos fundos.

Senhor David Bruní dizia sempre, quando o via: Hola, meniño! Como van tus estudios? Pois observava as idas e vindas do pai do rapaz, a acabrunhação daquela situação acadêmica indefinida, andava ressabiado com outra coisa que ocorrera recentemente, o menino estava agora para cima e para baixo com livros de literatura. Como se quisesse compensar algum atraso; suas conversas mudaram também, pedia ao Senhor Bruní explicações sobre palavras do guarani. Claramente algo o traumatizara ou sacudira, quem sabe? essa curiosidade por conhecer o idioma da pátria de David também era esquisito. Qual seria o próximo passo: aprender violão? Tocar harpa e lira? Sair por aí montando uma banca de livros usados, porque, francamente, eram tantos os volumes que chegavam semanalmente que o Senhor David nem sabia como caberiam naquele apartamento.

Assim, outro caminhão foi suficiente para que o sono pouco e parco de Rodolfo fosse para o porto de Santos. China. Lima. Japão. Singapura. Moçambique. Istambul? Despertou por um segundo e em seguida o sono de Rodolfo se espalhou pelo quarto escuro, num turbilhão de imagens que partiram de seu olho até se ampliarem pelas quatro paredes apertadas. Uma meia-vigília que valia por um sonho ao quadrado.

IV

Ela não se lembrava da festa de aniversário da cidade que aconteceria naquele dia. Seu senso de direção se espraiava para o de tempo, o calendário todo não fazia muito sentido e ultimamente se arrastava entre vésperas de fim-de-semanas e iminentes exames universitários. Deixada a esmo, Laura certamente andaria à deriva na rua, almoçaria de madrugada, esqueceria datas de aniversários e pensaria seriamente em começar a declarar rendas e a pagar impostos aos setenta anos. Em geral tinha pequenas intuições a respeito do ciclo do tempo, das festas e feriados. E que ninguém dependesse de suas explicações sobre algum dia festivo, Acho que Jesus nasceu neste dia? já olhando a cara incrédula da mãe, tão devota e pia.

Naquele momento da madrugada só fez pensar que, se esta noite estava difícil, a seguinte seria pior, pressentia descaminhos, não sabia o quê. Descaminhos. Adormeceu e se viu em um ambiente escuro, diante de um rio, qualquer rio, um barranco no meio do mato, daqueles bem escorregadios, com pernilongos, sapos, saguis, besouros, cigarras, bem-te-vis, mofo e ferrugem. Um lugar úmido e ermo, de onde se pressentia outra margem sem propriamente a ver. A correnteza era calma e constante e lenta, como gelatina prestes a endurecer, e o horizonte não podia ser visto nenhures, pois não se divisava qualquer coisa além de trinta metros e as nuvens cobriam a lua. Se mesmo assim Laura enxergava, de onde vinha luz? Dois olhos brilharam algures, velas pequeninas, presença sorrateira no meio do mato.

Naquele rio havia ondas, como? Era uma pororoca, um encontro de águas, um delta? Como os da foto do jornal de ontem, com aquele homem surfando. E os bichos estavam de qual lado agora? Ela viu-se flutuar.

"De onde vinha a luz?", perguntou-se Laura. Pensou em procurar a fonte daquela luz, quando um facho dela muitíssimo intenso a tomou de chofre, cegando-a, e ela, desesperada chorou e gritou, por muitos minutos sem ouvir nada, até que o som do mar se impôs aos poucos. As ondas clarearam a mente de Laura, e ela pensou que era justo estar cega naquela praia também cega. Continuava sentindo um calor de algum ponto imperscrutável, até que uma voz rouca e grave roçou-lhe a orelha de modo suave, ritmado, mas muito débil:
"Você, Laura, acompanhar-me-á à terra de sonhos e ilusões carentes?"

Ela não compreendeu e permaneceu calada, contemplando a voz, "Você, Laura, carrega no olhar a tristeza que tenho procurado tanto". Quem é você? ela sussurrou desesperada, Quem é você? seu medo transformava aquele protesto em um miado. Os olhos brilhantes, miúdos, estavam ao seu lado. O estranho tocou-lhe o braço timidamente, aparentemente para que Laura soubesse de onde ele vinha, ela estava de lado para ele, e disse:

"Preciso da sua melancolia para atravessar este oceano amplo e morno, para então voltar à posse de minhas ilusões".

Caramba, que difícil era entender, o que ele quer dizer? sua voz simplesmente não saía mais. Sua mente e imaginação estavam embotadas já, depois dos mil quixotes. Não queria pensar em nada, apenas ter um sonho erótico tranquilo, pensar em atores pornô ou em antigos colegas de sala. Era pedir muito? Como esse tipo de sonho sai de dentro de mim? ela meditava durante o próprio sonho.

Os pés estavam cravados de um lado do rio irrevogavelmente. Não apreciava mudanças na rotina, nem em sonho: se estava daquele lado, observando calmamente a oscilação das ondas do rio, por que agora a queriam tirar dali? "Não, estranho. Daqui ninguém me tira", estava decidida, suas pernas começaram a enfiar-se no solo enlodado e fedido, donde ela admirava calmamente a paisagem escura, sem reflexos, imersa no breu, com a presença somente dos dois olhos a anunciar um solitário colega.

O estranho homem pareceu menos agressivo do que teimoso, quando lhe tocou novamente o braço. Rogando, por fim, segurou o braço de Laura e tentou puxá-la, sem sucesso. Embora a contragosto, ela consentiu, porque estava consternada pela insistência do solitário com olhos de vela mortuária. Por um tempo, ele pressionou de leve o braço direito dela, com seus dedos longuíssimos e delgados, frios e pertencentes a uma palma estreita e lisa. Laura pensou que aquele era um deus qualquer, alguma impressão deixada por algum mendigo falastrão, misturado a algum personagem de mangá, quem saberia determinar a origem de cada rosto sinistro que impressionava a memória dela?

Permaneceu quieta, como pretendesse exigir alguma explicação, gritar, sacudir-se, contudo, foi interrompida pela voz do interlocutor, que, então, soou tonante e clara, forte a ponto de obter eco até a outra barranca,

Dear child, I also by pleasant streams
Have wander'd all night in the Land of Dreams;
But tho' calm and warm the waters wide,
I could not get to the other side."

Uma mão tangeu-lhe o ombro, "E a tristeza do mundo depende da tristeza dos olhos seus", Laura se virou em vão.

Sem mais dizer, o estrangeiro saltara daquela parte da margem para dentro do rio enorme, saiu voando num céu indefinido. Onde havia lido aquele poema? O sotaque era de onde mesmo? Ficou quieta, embevecida pela apresentação do seu nume pessoal. Enfim, tomada de chofre por um feixe de luz suave, ela recuperou a visão, a alvorada começou a se anunciar dentro daquele sonho, notou estar em frente a um dos lados de uma ponte, aparentemente a ponte que passava por cima do Rio Itá Anhangá - sabia que era aquela ponte, pois além de ficar perto de sua casa, lá brincou muito, quando ainda criança - e com um facão achado por acaso desfez-se das raízes que apertavam suas panturrilhas. Com esforço conseguiu se desvencilhar e partir, aproximando-se do abismo e da ponte.

Viu que as águas que corriam eram espessas e coagulavam, como gelatina vermelha - pensou - espessa e arrastada. Sentiu vontade de tocar com a ponta do pé o riacho, e beber e provar daquela sobremesa. Desceu por uma encosta do barranco, descalça, sentindo os pedriscos e tudo lhe parecia muito maior, como se o Rio Itá Anhangá fosse o Amazonas, gigante. Uma serpente cruzou seu caminho e tinha o tamanho de um trator - ela estava diminuindo! - e a ignorou absolutamente, pulando na água. Agora não era nem uma boa presa para cobras, por quê?! Continuou descendo e a aurora anunciava um primeiro rosa no horizonte, quando um besouro pouco maior do que um carro, cruzou seu caminho e ao vê-la abriu uma bocarra. Suas pernas a traíam novamente.

Do outro lado do rio dos lumes piscaram e desapareceram. O besouro vinha atacá-la e no céu um bem-te-vi cruzou como um avião comercial.

O despertador tocou, no chão. Ela se levantou e viu que eram 6 horas em ponto. Resolveu não se levantar, pois seria despertada pela mãe de qualquer forma, pois ela nunca a deixaria chegar atrasada à faculdade. Tentou dormir, mas teve medo do seu Imperador dos Sonhos, do retorno do besouro. Pensou sobre suas olheiras, precisava começar a maquiar aqueles olhos para parecer jovem de novo; no entanto, era jovem ainda, o que estava falando?

De fato, Laura tinha olhos meio mortiços, bonitos olhos emoldurando sua íris castanha, dois infinitos avermelhados, como olhos de coelho, o refúgio de seus mistérios, no seu rosto moreno de maçãs rosadas. Aquilo não era exatamente um pesadelo, nem exatamente um sonho, era um diagnóstico inteiro. Será que mamãe ainda tem aquele dicionário de símbolos? ela abriu os olhos, procurando o maço de cigarros e o isqueiro. Não queria fumar, apenas aliviar a tensão, olhar a pequena chama despontar no aparelhinho, algo de familiar, de costumeiro para confirmar sua existência e a vigília. Precisava de uma palavra. Diagnóstico? Não. Nada. Foi o que lhe chegou à mente. Não sabia o porquê. Tinha vontade de gelatina de morango e de escutar talvez Talking Heads ou Mutantes.

Fechou os olhos para se lembrar do primeiro sonho maluco, procurando reinterpretá-lo como um teatro mambembe de ciganos, se perdeu nesse exercício e já estava lá no meio, dançando o flamenco, o sapateado irlandês que tanto admirava, a polca, o samba, a umbigada, com as palmas, violinos e violões e gritos. Sem serpentes e castelos, só uma fogueira perto de um acampamento. Pensava em ir passear no mato, chamar as amigas para um piquenique no parque, ao som de castanholas e mais dança. Viu os ciganos partirem com as festas e as crianças e gritou "Onde vocês vão? Está começando o feriado!"

Às 8 horas, sua mãe entrou no quarto e a chamou para tomar o café da manhã, "Laura, vem tomar café!".

V

As coisas não precisavam ser assim. Rodolfo ficou com os olhos abertos, firmemente decidido a procurar seu sono pelo quarto, raspando-o da parede, rolando no chão. Sem que percebesse, já fazia as três coisas - sem acender as luzes - inclusive, comendo dois ou três pedaços da camada de cal que facilmente se soltava das paredes próximas à cama, pardacentas paredes, ali no escuro, não era possível notar o aspecto doentio que elas tinham. Por que raios precisava beber tanto e tão rápido? Como era mesmo que Seu David dizia ao vizinho da esquina? Dizia "La botella no es un chupete, por Yamandú!"

Levantou-se, e, por estar descalço, experimentou o frio do chão próximo à parede, sem esquecer-se da febre queimando seu crânio. Rodolfo rogou em seus delírios, para que a madrugada maldita passasse. Resolveu tomar chá, estava no auge da bebedeira, poucos minutos, bebia da garrafa de vinho ainda, não seria capaz de preparar algo, mesmo que fosse meramente um chá. Não estava seguro de que seria capaz de evitar um incêndio à casa toda e isto o atemorizou muito. Abandonou o chá e começou a repassar a conversa que mantivera com seu pai, primeiro mentalmente, depois oralmente - para tentar disfarçar para si seu estado de espírito momentaneamente festivo - passando palavra por palavra e pausa de seu pai. Devido à sua situação febril-dionisíaca, Rodolfo não estava francamente em condições de lembrar o que ele próprio dissera, e em verdade só se lembrou de uma coisa que seu pai lhe falou: Filho, você não pode ficar assim, você é jovem. Seguia apalpando a parede, repetindo em voz baixa: Filho, você não pode ficar assim, você é jovem, como que procurando a saída - o sono? -, como que procurando a entrada no mundo - um analgésico?

Era o leito que ele procurava, uma busca ridícula em um quarto tão pequeno, mas uma tarefa hercúlea para Rodolfo no estado em que estava. E àquela altura, ele se esfregava pela parede oposta à da cama. Sentiu a mão tocar a janela de metal: a tinta, o vidro, os vãos. Ele pensou que aquilo era a porta que tanto procurava e abriu, pensou que aquela era a saída do delírio e irrompeu em risos gargalhados largos agradáveis. Pensou que aquela era a entrada para o mundo, ou o analgésico que tanto procurava, e se lançou.

Caiu na calçada com muito estrondo. E ali permaneceu inconsciente por um quarto de hora, sem que ninguém passasse, desmaiado, descansando. E porque estava usando somente um calção, cortou-se muito - e viria a descobrir que torceu um pé e torceu dois dedos da mão direita - nos ombros, pernas e costas, na cabeça - com um corte bem discreto próximo ao olho. Depois deste tempo acordou, mas demorou-se muito para levantar, ficou ali olhando o céu manso e quieto da madrugada, deslizando sobre seus ferimentos, Ai!... O Cruzeiro do Sul, os olhos de Rodolfo vibraram um pouco, como se sofresse de algum distúrbio passageiro.

Durante este quarto de hora, não houve viva alma que ali acorresse, e ele foi aos poucos se erguendo, primeiro a cabeça depois o torso, apoiado nos braços, as partes menos atingidas pela queda, salvo o ombro direito bem estropiado, até que conseguiu sentar-se, meio de lado porque as cadeiras também doíam muito, e não poderia apoiar-se completamente na própria bacia. Deu-se conta da indumentária que portava, o seu calção de dormir - preto - e da imensa falta de sorte com a qual contava, pois deveria estar ali há um bom tempo e ainda não contava com alguém para leva-lo ao hospital. Não queria incomodar o dono do prédio no meio da madrugada, não queria dar explicações nem pedir desculpas a ninguém: lamentou veementemente a falta das chaves consigo e a falta do seu sobretudo para se proteger do frio.

Resolveu ficar ali até que o dia surgisse e o dono do prédio acordasse, pois ia logo cedo visitar a padaria e buscar suas cervejas e cigarros. Rodolfo afigurou-se da imensa árvore em frente à calçada onde havia caído, e concluiu que ela seria sua companhia por este fim de madrugada, sua melhor amiga, aquela que daria conselhos sobre seu futuro e presente. Pois Rodolfo tinha um negócio inconcluso na cidade, algo que o fizera despertar novamente para a vida ao mesmo tempo que o exauria, uma preocupação nova que na verdade era antiga. E, ao contrário do que seu senhorio pensava, não se tratava de planejar uma maneira de vender os livros que lia avidamente e empilhava; muito menos, para desespero do pai, se tratava de terminar com louvor aquele curso superior feito com tão pouca convicção; não se tratava de algum projeto mais desenhado e calculado, algum serviço de seu estágio a ser refeito[6].

Veio um vento forte então e ele esqueceu seu pensamento mais recente, também porque estava muito mais febril do que quando dentro de casa. Estava ainda muito bêbado, apesar da dor que sentia - talvez o sofrimento tempere o homem até a sobriedade mais profunda, a solidão - e, por isso, o pensamento volúvel se evolveu. Ficou arfando de frio, de febre e de delírio etílico, sorrindo como se fosse possível obter compaixão de uma árvore ou do sol, para que fizessem o dia chegar logo.

Ele viu, então, o vento brincar com a vasta cabeleira da árvore, verde, vistosa, vigorosa. O vento penetrava a copa, balançando todos os galhos, e a árvore se deixava conduzir por aquele bailarino visivelmente mais experiente. Esteve por um bom tempo observando, entremeando esta contemplação com Ai! e sempre mudando a forma de sentar-se. Sentiu como se um espírito dançasse por dentro do

6 Rodolfo de fato cursava o segundo ano do curso de engenharia civil na conhecidíssima Universidade Estadual de Itá Anhangá (UNEITA), estagiando em um escritório três vezes por semana, devido ao baixo volume de negócios.

vegetal volumoso de tronco espesso, e, sem que percebesse, se moveu para junto da árvore, como se ao lado dela estivesse mais seguro e mais confiante.

Era belíssima a cena dele à espreita do espírito que habitava a árvore - todo desmontado e machucado e lamurioso - como se aquela fantasmagoria tomasse proporções gigantescas na imaginação daquele rapaz febril-bêbado-quebrado. A intimidade que a loucura inspirou no garoto fez com que ele começasse a conversar com a árvore, como se falasse a uma amigo de quem tinha saudades e só havia pouco reencontrara. Confessou seus pecados, suas virtudes, tudo confessou para aquela madeira forte e cascuda, escura e inteiriça.

Desandou a falar, dizendo o que o afligia há dias: Eu nasci aqui, mas fui levado aos oito anos de idade, você sabe? Bom... Imagino que não. Enfim, quando eu tinha oito anos estava apaixonado por uma menininha vizinha minha, Laura, e prometi que a amaria para sempre. Aos oito anos de idade!... Ela não me levou a sério e duvidou que eu pudesse amar para sempre alguém. Eu prometi, claro! então provar que eu a amava, para sempre, pois o amor-para-sempre é único amor cuja prova vale a pena. Mas minha família se mudou logo no fim daquele ano, e, a partir de então, só mantivemos contato por carta, dos nove aos catorze anos de idade, quando eu tive minha primeira namorada - muito ciumenta, você sabe? Imagino que não... - e a partir daí não nos escrevemos mais. Mas guardo todas as cartas dela, e, quando estava a ponto de entrar na faculdade, pensei que voltar para minha terra natal seria uma boa oportunidade para reatar este laço, para que fôssemos amigos, ao menos.

Um novo vento assobiou na copa do arvoredo, como que estimulando o rapaz a continuar em seu intento Conta tudo! Você já a encontrou de novo?

E Rodolfo respondia - ainda que sua voz soasse mais como um gemido de alguém caído - Que tolice! Não deveria ter prometido... Perdi a esperança de revê-la, durante esses últimos anos me acostumei com a ideia de perdê-la sem reencontro... Mas um conhecido me disse que conhecia uma menina assim como descrevi, Como assim "igual"? Se temos já mais de vinte anos, não pode estar igual! Ele respondeu "Morena, já a vi no ônibus intermunicipal uma pá de vezes, um crânio, meu caro, um crânio!", "Ela mesma!"

Outro assobio cortou sua fala, Mas eu não a encontrei aqui, não a encontrei jamais e não sei se a reconheceria. Talvez não...Talvez não...

Neste ponto, lágrimas foram levadas a seus olhos, sua voz embargada, não prosseguiu. Ele chorou como uma criança injustiçada, ali diante do mundo chorou, naquela Rua Galateia totalmente entalada em sua garganta. Sentiu-se zonzo e fraco, em delírio, pediu para que o fantasma da árvore o segurasse, dizendo: Eu não tenho mais medo de fantasmas, eu sou como você agora, minha vida parou no tempo, eu sou um espectro que ronda Itá Anhangá desde meus oito anos.

Desmaiou, apoiando a cabeça em uma das grandes raízes da árvore. Quando acordou, agiu como se nada tivesse acontecido[7]. Talvez por seu estado febril-bêbado-quebrado. Depois de quase metade de uma hora conseguiu articular, no meio do fluxo de ideias que surgiam naquela mente atormentada, e continuou a conversa com o espectro que rondava o vegetal, respondendo a uma pergunta que o espectro inexistente fazia: A promessa? Ah... A promessa

---

7 Veja você, leitor, como este personagem dificulta a tarefa do narrador. É sempre praticamente impossível saber se ele faz as coisas porque está bêbado, porque está febril ou porque está machucado. Creio que talvez fosse mais prático passar a me referir ao estado dele como semi-imputável, como dizem os juristas, mas como um narrador não pode abandonar a tentativa de entendimento dos seus leitores, prefiro a locução febril-bêbado-quebrado, sem que se dê precedência a nenhum dos termos.

Era na verdade um desafio, é... Era mais um desafio, uma ideia que tive aos oito anos e que hoje me surpreende pela precocidade, Morena - que era o apelido carinhoso que eu lhe dei -, a amo, gosto muito de você, e, se você não acredita no que eu disse, vou provar sem falar nada, sem falar as três palavras mágicas. Naquela época, eu não sabia quais eram as três palavras mágicas, mas às vezes eu ouvia minha irmã mais velha falar para mim que havia três palavras mágicas para se conquistar uma menina[8]. Eu acreditei em tudo. Laura não acreditou e riu e riu e riu. Mas não contou a ninguém - em respeito a mim - só disse: Ruivo, você não consegue fazer isso que você disse, duvido, você é só um bobão, que não sabe do que está falando, só converso com você ainda porque eu gosto muito de você. Estas coisas me enternecem, você sabe? Imagino que não... Se soubesse que ela não mais morava aqui, eu teria desistido, como desisti durante quase dois anos desde que me mudei para cá. Mas meu conhecido disse isso e aquilo e vi o pai dela na rua, semana passada, tivemos uma longuíssima conversa. Ele me disse que ela ainda vivia na cidade, estava bem, morava com eles, e que estava fazendo faculdade na capital - ia e voltava todo dia - estudando química. Realmente um crânio! Ele me disse ainda outras coisas, e eu disse que talvez a encontrasse na festa de aniversário da cidade. Então me lembrou que ela não gostava de aglomerações. Ora... Eu, também não gosto, fantasma, mas, se fosse para revê-la, eu iria. O pai me desanimou muito com este comentário, e acabei me esquecendo de confirmar o endereço deles, só para me ver livre daquele senhor que tentou me demover. Mas deve ser o mesmo endereço.

E ainda arrematou: Fantasma, este é o meu tormento? Há oito dias não consigo dormir direito; afinal, voltei para

---

8 Quando pequeno, Rodolfo pensava que as três palavras eram "Abra-ca-dabra", "Sin-sala-bim" ou "Abre-te-cézamo". Rodolfo, apesar de racional, pode ser também teimoso e crédulo.

cá para cumprir minha promessa, para vencer este desafio que propus a ela há catorze anos? Só por isso? Esperava e não esperava encontrá-la, bem que minha última namorada sugeriu que fizesse terapia, falasse um pouco comigo mesmo, me abrisse com alguém de verdade.

Rodolfo ficou ali conversando[9] sobre amenidades. O sangue estancou, o peito do pé ficou roxo próximo ao tornozelo, o ombro não deixou de doer, as cadeiras só ligeiramente. Falaram sobre o tempo, sobre o frio, até as cinco horas da madrugada[10]; depois, ajeitou-se sob a copa, colocando seu tronco entre duas raízes volumosas, que já iam quebrando a calçada, apoiou a parte anterior do seu joelho numa raiz, apoiou sua cabeça na outra raiz, finalmente dormiu. Dormiria sem sonhos até as seis horas, quando o dono do prédio o acordaria dizendo: Dios, menino, despierta ahora! Voy a llevarte al hospital! E, com efeito, o levando ao hospital.

---

9 Até agora, enquanto falava de sua promessa, Rodolfo foi um locutor muito articulado, de fala tranqüila e serena. Mas, quando este assunto acabou, tornou-se novamente só febril-bêbado-quebrado (eu inventei agora outra locução: bêbril-bebrado, o que você acha, leitor?), soluçava, chacoalhava a cabeça e choramingava muito por causa do pé.

10 Se o leitor ainda não se deu conta, e não poderia – só eu posso, não é verdade? – este desmantelamento de Rodolfo começou às duas horas da manhã. Pronto, está dito.

VI

"Laura, vem tomar café!" Foi o que sua mãe gritou, empurrando a porta e retirando o lençol de Laura, o que a fez bem descontente, mas, por outro lado, abalou a solidão com a qual conviveu durante toda a noite. Sua mãe sentou-se na cama, passando a mão na testa de Laura, pois a filha arquejava um pouco. Perguntou o que tinha acontecido e Laura contou-lhe os dois sonhos que tivera naquela noite. Sua mãe ficou surpresa com a descrição dos dois sonhos, abraçou e beijou a sua testa, pedindo para ela se acalmar porque poderia descansar naquele feriado.

Feriado?

Sim, minha filha, onde você tem a cabeça? Cresceu na cidade, todo ano escuta os festejos e não se lembra da maior festa da cidade?

Não, mãe. O que Jesus fez neste pedaço do calendário?

Ai, que leseira, filha! É o aniversário da cidade! E coincide com os dias mais frios do ano... Esqueceu? Tem festival de pinhão assado, pau-de-sebo, quentão, vinho quente, Festa de São João. Como eu ia saber, mãe, chego tão cansada do estágio que nem reparo. Mas, Laura, tem bandeirola pendurada até o teto da igreja matriz e você não se tocou?

Ah, então é por isso que fecharam umas ruas do centro... Estava procurando ontem a Doceria Castelões e dei uma volta enorme com a Miriam, fomos parar lá no Mirante, nem sei como... Ai, ai, nem eu sei como...

Laura levantou-se, espreguiçou-se. Saiu do quarto e foi ao banheiro. Desceu as escadas, dirigiu-se à cozinha onde normalmente tomava café da manhã com sua família – pai e mãe – antes de entrar na faculdade. Como era início de feriado, podia se dar a esse luxo. Chegou lentamente à cozinha, calçando chinelos brancos, ligeiramente maiores do que a exigência de seus pés, por isso, o arrastar dos chinelos no corredor era constante. Chegando à cozinha, viu seu pai e sua mãe que já tomavam, cada um, um copo de café - seu pai tomava café puro e sua mãe o tomava com leite. A mesa era circular, de madeira maciça, o pai estava de frente para a porta de entrada e a mãe estava ao lado direito do pai. Seu pai também devorava um pão com manteiga, ao passo que sua mãe comia bolachas, apenas. Demorou-se um pouco no observar daquela cena e sentou-se finalmente de frente para seu pai[11].

O pai foi logo atalhando, como se acabasse de lembrar algo, Filha, eu me esqueci de te contar uma coisa que me aconteceu na semana passada. Você não vai adivinhar quem eu encontrei na rua dia desses? Laura sabia que não ia adivinhar mesmo, o pai era capaz de se lembrar de absolutamente tudo, anatomia, tiques nervosos e nomes. Laura não tinha uma memória tão prodigiosa para pessoas, nem fisionomias, nem nomes, deu de ombros e observou o pai com mais atenção fazendo só um Hã?... o pai se entusiasmou com a capitulação da filha e disse Encontrei aquele nosso vizinho que vivia brincando com você, o Rodolfo, lembra? Laura não teve uma recordação muito clara, percebendo isso, a mãe para esclarecer e o pai para continuar, disseram quase em uníssono O menino loirinho, o menino que vinha

---

11 Há pouco, leitor, conheci o pai de Laura, exatamente para inquirir a respeito de como as coisas haviam se passado nesta história. Recebeu-me muito bem em seu escritório, um tipo bonachão e muitíssimo agradável, conversou comigo sem rodeios e tratamentos, empolamentos ou coisa parecida. Depois me convidou a ir outro dia à sua casa, muito ampla, muito arejada e sossegada. O quarto de Laura também era muito bonito. Ele estava preocupado com algo do trabalho, mas nem por isso fez menção de me abandonar só naquela casa imensa. Explicou-me suas origens – família rica – e disse que aquele quarteirão inteiro pertencia à sua família. Fiquei ali fazendo companhia ao senhor boníssimo. Depois de uma tarde inteira de conversa, já me julgo íntimo daquele senhor, sabe? Imagino que não...

brincar depois da escola, às vezes, o que ficou inteiro rosa uma vez que você segurou a mão dele sem querer.

Não faço a menor ideia, ela respondeu entediada, com um estalo de língua apreciando o café sem açúcar. Com outro estalo encarou a dura realidade daquele dia: um belíssimo feriado! Isso sim! Será que a Sorveteria Michoacán estará aberta hoje? Claro, claro, a cidade estava realmente mais cheia, sempre teve boas lembranças daquela festa...

O menino que ficou um mês sem sair de casa depois de pegar sol na praia sem protetor solar, seu pai foi buscar a história mais hilária a respeito do pequeno companheiro de infância da filha, Lembra? O tio dele contou que alguém esqueceu de espalhar o protetor no corpo dele, coitado! ficou com a marca de uma mão enorme branca bem no meio das costas! Laura forcejou por encontrar a lembrança, vasculhou sua mente com zelo, pois o nome não lhe era estranho e a descrição tampouco. Os dois pais ficaram observando a filha por um tempo, esperando a memória dela acudi-la. Percebendo que demoraria mais do que o desejado, voltaram a tomar seu café da manhã. Antes que o pai levasse o pão novamente à boca, Laura fez um Ahhhhh... e o pai sorriu para a mãe, para voltar ao assunto, Não foi grande coisa, conversamos muito rápido na rua, eu disse que você estudava na capital. Ele me contou que estudava engenharia civil e principiou uma prosa bizarra sobre os livros que estava lendo, poesia disso, biografia de Gandhi, muito estranho.

Estranho mesmo...

E ele me perguntou se nos lembrávamos daquela vez em que vocês foram pescar sozinhos no rio, sozinhos? "Sozinhos?" eu estranhei, não me lembrava da história, ele falou que você pescou uns sete lambaris e que comeram juntos com sal e limão numa fogueira feita pelos dois. Ele se lembra bem de você, filha. E nesse ponto o pai não pode disfarçar o orgulho que sentia por Laura deixar sempre uma impressão tão boa nos outros.

Que história boa, pai!

Escutei mais por educação, né? Honestamente não me recordei de tudo o que ele disse. Cumprimentei e fui logo embora.

O pai disse isso despreocupado, praticamente sem olhar para a filha, pois se a tivesse visto, teria notado que Laura, aos poucos, foi se lembrando de quem ele era, apelidado na escola de Foguinho, Ferrugem, Ardido e Mãozinha por causa da marca branca em suas costas. Voltou aos tempos, um tanto distantes, de sua infância, das brincadeiras e brigas. Agora, como era e que cara tinha ele, não podia trazer à mente. Fez mais esforço e reviu sua companhia calorosa - ou seria a companhia calorosa das lembranças de infância? - e ficou como que ausente da conversa por alguns segundos.

O pai, depois de uma ponta de satisfação em saber que ainda sabia tudo da vida de sua filha, olhou-a para ver sua reação. Laura, enfim, riu muito para si, lembrando-se de uma promessa que Rodolfo fizera quando os dois eram crianças, Do que você está rindo, filha? É, do que você está rindo, Laura, perguntaram respectivamente mãe e pai. Ela não disse nada, lembrou-se ainda das cartas de amor, com juras e planos, escritas pelo menino, e das cartas que ela mesma escreveu, pois tinha cópias das cartas que escrevia e enviou e outras que não chegou a enviar. Para ela tudo aquilo não passara de um exercício literário, uma primeira incursão na escrita, inútil e verdadeira. Duas linhas, três no máximo.

"Estamos muito bem, obrigada. Vamos à praia nas próximas férias. Cuide-se bem, minha mãe te mandou um abraço. Beijo, Laura."

"Você disse que teu cachorro se chama Totó, que nome mais legal! Você lembra do Rex? Ele teve filhotes com a cadelinha da rua, fui eu que vi os dois abraçados no meio da calçada. Minha mãe disse que os filhotes nascem depois disso. Também gostamos muito de você, Foguinho. Beijo, Laura."

Se fez alguma jura de amor, fora falsa desde o início. E se não o fizera, fora por indiferença em relação a qualquer sentimento que se esboçasse naquela troca epistolar casual. Lia as cartas com algum interesse, bem entendido, porém sem maiores pretensões de manter um laço, ou melhor, sem entender o que aquele garoto estava fazendo, afinal tinham apenas nove, dez anos. Como alguém pode saber o que é o amor tão cedo? Não pode, é evidente. Era uma espécie de vício, fissura que o Foguinho tinha por ela. Seu pensamento passava de uma imagem a outra sem parar, como se rasgasse fotos e folhetos antigos.

Tudo estava guardado no quarto da casa - contudo, se lembrava de onde havia guardado, mas sabia que só ela e o próprio Rodolfo poderiam saber - há tanto tempo...[12]

Laura conversou com seus pais sobre a sua infância, e eles falavam dela quase que pedindo para que fosse criança novamente. Outros amiguinhos, amores, amigas desfilaram em meio a conversa, logo uma pessoa era só mais uma personagem naquela breve e longa jornada de vida da moça. Depois ela ficou sem saber o que fazer com todo aquele

12 A primeira carta trocada entre Rodolfo e Laura foi enviada por ele, quando ambos tinham dez anos, na qual ele dizia seu novo endereço, na outra cidade. A partir de então, escreveram-se periodicamente por um ano e meio, todo mês, depois todo semestre, por fim uma vez ao ano até que ele teve a sua primeira namorada aos doze anos, e pediu-lhe por carta desculpas, compreensão e sua bênção. Ela ficou feliz por ele, mas nunca mais lhe respondeu. Rodolfo também não mais escreveu, pois pensou que ela não o amava mais. Na última missiva que ela lhe redigiu – antes de saber do seu namoro – disse que se mudaria em breve para a velha casa de seu avô, e contou que, na casa nova, guardaria carinhosamente as cartas no assoalho de seu quarto, pois já sabia qual seria seu quarto e porque havia, convenientemente, nele uma parte oca do assoalho. Nunca a enviou. Mas dessa última parte nem ela se lembrava: tudo restara enterrado ali. Até esta última carta. Rodolfo nunca soube qual era seu novo endereço.

tempo livre, pegou alguma parte aleatória do jornal, que pai, mãe e filha liam simultaneamente, e se serviu de mais um pouquinho do café paterno, forte e amargo. Terminou a refeição quase às nove e meia e ligou para sua melhor amiga - Lúcia - perguntando se poderia ficar lá um pouco para conversar, já que não se falavam há muito tempo, pois as duas andavam muito ocupadas. A amiga respondeu que "Sim! Claro! Tenho que te contar minha entrevista de emprego e sobre o que aconteceu lá na capital".

VII

Dios, menino, despertá ahora! Voy a llevarte al hospital. - foi o que disse o dono do prédio ao ver Rodolfo dormindo na calçada, com as costas apoiadas no cimento, com o peito do pé direito roxo próximo ao tornozelo, com o ombro direito ralado, um corte na maçã direita do rosto. Bem que eu acordei no meio da madrugada de novo com aquele barulho, caramba! Deveria ter olhado pela janela, pelo menos, fue um descuido, sim, um descuido! Agora, miráme este chico, que desgracia!

Oye, Rodolfo, miniño, que te pasó?

E a resposta não vinha de jeito nenhum, ninguém na rua para ajudar, aquele moço tão grande e pesado, apesar da magreza. Todavia um David bem disposto daria conta do recado, sim, o bom e velho senhorio, que acudia as inquilinas para trocar chuveiros, botijões de gás, pneus de carro, lâmpadas, até o faz-tudo da esquina, que era funileiro e mecânico, vinha pedir auxílio às vezes, e lá ia o gentil Senhor David Bruní sem reclamar, em pé segurando uma vidraça do carro, uma lata de tinta, dando carona a um cliente. Agora mais esta, um doente, um jovem desperdiçando su vida, no, absurdo! Habría que falar a su papá, sin falta! Mirame esto - por Yamandú! - miráme esto!

Estava uma desgraça a cena, o rapaz escangalhado, desgrenhado, só de calção, deixara um caminho de sangue desde a calçada do prédio, passando pelos paralelepípedos da rua, até a calçada onde estava a árvore. Era um prodígio ele ter chegado até ali, porque claramente aquelas pernas não poderiam fazer muito mais por ele hoje, O tolbillo estaba más grande que un melón! Esse tornozelo não cabe numa cesta de basquete!

Repetiu ainda e Rodolfo escutou sem entender "Dios, menino, despertá!". Eram seis horas, e ele dormira por uma longa hora, sem sonho ou pesadelo, a não ser o de conversar com árvores e trechos de vento. Ninguém à rua ainda, nem a religiosa Dona Angustias, uma velhota extremamente falante, sempre solícita, embora nunca fosse de muita ajuda. O rapaz não podia ainda descerrar as pálpebras, entretanto tinha a sensação de sentir o Sr. Bruní gesticulando, de braços abertos, olhando de um lado e outro, suspirando sem esperanças, murmurando algo naquela língua secreta de sua gente...

Karay!

Ele escutava de fora, sem poder se reconectar com o mundo humano ainda, sentindo a casca da árvore bem perto da boca e dos olhos; depois o suor frio brotou no meio do trapézio e desceu quietamente até o cóccix. O que "Karay" quer dizer? Deve ser "caralho" em guarani... Um pé se aproximou de seu corpo e o relou sem querer, um bafo matutino, recém mentolado, um pouco enjoativo, desceu até suas narinas. Ao longe o som de um carrinho de mão crescia paulatinamente, como se o fosse atropelar - era possível? - e Rodolfo se recordava do servente de pedreiro, tantas vezes visto no boteco, brigando com algum cliente, jogando truco numa mesinha em cima da calçada. O som do mini pneu estacou com um susto, o rapaz devia semelhar um atropelado, houve uma interjeição e ele morria de curiosidade de enxergar a cena. Seu David se agitou por cima de sua cabeça, porém ainda não conseguia se levantar e olhar, estava tudo carregado nas pálpebras chumbadas. O velho Matias respondia de maneira preocupada, Seu David esperava alguma coisa. Então o som da rodinha recomeçou e o dono do edifício soltou o verbo, sua ladainha coçava nos ouvidos do moço semidesperto, as respostas se tornaram mal-educadas, o outro insistia, parecia eloquente, o passante claramente cuspiu no chão. Novo silêncio e nova espera.

A expectativa para saber o que ia se passar bem ali ao seu lado e, provavelmente, envolvendo a sua desarticulada pessoa foi a causa para Rodolfo juntar suas forças. Não era a dor a causa movente naquele momento, não era a bebedeira, o delírio. Só o suspense o afetava. O que afinal estava acontecendo?

Abriu os olhos, aos poucos, a febre agora era da ressaca - pelo menos não estava bêbado, só um pouco zonzo - não conseguiu levantar-se em razão de seus ferimentos, mas girou a cabeça a ponto de ver o caminho de sangue seco que deixara, o ombro, o pé, a cabeça as costas e os dois dedos da mão direita que não se mexiam direito. Havia somente o seu locador em pé a dois passos de si, o outro desaparecera. Como tão rápido? O paraguaio perguntou se ele estava consciente, Rodolfo que não conseguia chacoalhar a cabeça no gesto "sim", simplesmente fez um Daviiiiiiiiiiiiiiiid... meio cavernoso, e o dono do prédio disse, Vos escuchaste al señor Matías? Ele pensó que vostêd estava muerto, eu disse No no no! Está vivo, vivíssimo! Pero él no acreditó, dejó o carrinho de maum aí, logo aí, 'tá vendo? E com efeito o carrinho fora abandonado. Él começou a ficar sério, achando que você tinha morrido, imagina? Despois que te viu respirando de novo arregaló os olhos, se benzeu muito.

Agora miráme bien, garoto! Estás vivo, verdad? O outro mal conseguia distinguir luz de sombra de tão incomodado pela dor de cabeça, como se aprendesse a enxergar naquele momento, tentou mexer cada pedaço do corpo para se certificar de que o Senhor Matías não estava certo e aquilo não seria apenas uma ilusão; neste momento o esôfago e o diafragma falaram mais alto e a refeição da madrugada parecia sentar-se mal no estômago, a eructação foi presa a custo e as abas das narinas balançavam. O guarani atalhou antes que pensasse em vomitar, levantou metade de seu corpo e o sacudiu levemente, Se te ponés de pé já te verás melhor, meniño.

E o golfo veio naturalmente, uma onda no mar, violeta e ácida e teria encharcado a cara do Senhor Bruní, não houvesse intuído o desastre, Vamos fazer assim, meniño, eu te levo ao teu quarto e me espera lá, enquanto eu busco meu pão e meu maço de cigarrillos. Quando eu voltar nós dos vamos ao hospital. O que vostêd acha?[13]

Rodolfo agora fez um Siiiiiiiiiiiim... e o dono do prédio interpretou aquilo como um "sim", levantou aquele menino ruivo, esguio, alto e muito pálido. No caminho, que deve ter durado quinze minutos – o que durava dez segundos em dias normais para Rodolfo - pediu desculpas para o rapaz por não aguentá-lo e forçá-lo a andar, perguntou se havia pegado uma gripe, e o rapaz respondeu Daviiiiiiiiiiiid... meio cavernoso de novo, assustando-o, e o homenzinho o deixou cair escada abaixo. Tiveram que recomeçar, agora em silêncio e Rodolfo estava um pouco mais moído. Chegaram ao fim da escada e o senhorio abriu a porta com uma cópia da chave do apartamento, que tinha no seu molho barulhento, atravessando a sala muito pequena, entrando no quarto, jogou o rapaz na cama desarrumada.

Ali, ele refletiu muito e chegou à conclusão de que sentia dores... dores por todo o corpo, dores velhas e novas. Achou estranho nenhuma outra pessoa ter passado pela rua, mas imediatamente se lembrou do isolamento a que se submetia o centro da cidade no dia do aniversário do município, e agradeceu ao senhorio telepaticamente por busca-lo antes que um policial, os quais às vezes eram muito violentos por aquelas redondezas, ou um ladrão, os quais às vezes eram muito violentos por aquelas redondezas, o fizesse.

Não se passaram quinze minutos, quando voltou para levá-lo ao hospital no carro. Vestiu-o com uma calça

---

13 Não sei se o paraguaio de fato queria alguma resposta daquele bolo de carne amassada, mas é certo que esperou um pouco por algo. Vendo que nada aconteceria, levantou aquele menino ruivo, esguio, alto e muito pálido.

de malha vermelha e uma camiseta branca, o primeiro par de meias que viu, uns meiões verdes para jogar futebol, um tênis azul cheio de detalhes – era o tênis mais odiado por ele. Rodolfo só apontou para o sobretudo escuro, ao que David disse: Vou levar, mas no vas a vestirlo ahora, está mucho quente! Era positivamente a combinação mais estival de seu guarda-roupas, ultimamente habitado por camisas sociais azuis e cinzas, camisetas de gola polo e outras, todas escuras de bandas de rock dos anos 1980, calças sociais e duas jeans surradas e desbotadas. Quem lhe dera aquelas calças? Mamãe, pensou, e sentindo a brisa na rua de novo, tentou mirar a copa da árvore e sorrir Eu ainda chamo minha mãe de "mamãe", que bonitinho!

O carro não era muito barulhento, era até bem confortável, um passat da década de 1990 muito bem conservado, cheirava a perfume, coisa nova; a única coisa não confortável foi descer a escada, para chegar ao carro. No caminho precisou parar o carro mais duas vezes. Uma onda violeta de vinho, ácida rojada em plena avenida – por sorte – ninguém ou quase ninguém presenciava. Tomá el papel, Rodolfo! Era Seu David esticando um rolo de papel higiênico que tinha no porta-luvas, Enxuga a boca! Em pouco tempo estavam no destino. Apesar de tudo sua boca ainda sabia a vinho tinto de qualidade mediana; se arrependia de não ter planejado melhor sua ida ao médico; o que sua mente martelava constantemente, todavia, era a frase do pai de Laura "ela não gostava de aglomerações...". O caminho até a recepção era longo para alguém tão debilitado, seu olhar se fixou em um boneco grande de borracha que enxergou na ala pediátrica, como um corvo em cima da cristaleira. O lugar coalhado de gente falando alto e reclamando, o deixavam agitado. Seu David repetia Assim, garoto! Karay Rodolfo estará melhor pronto!

Sentia um pouco de raiva pela observação do pai dela, aquilo não saía de sua cabeça, era infantil seu sentimento, decerto, Como se eu quisesse ficar comendo pinhão e bebendo quentão só por amor à cidade! Eu também odeio aglomerações! Quer dizer então que estou disponível demais! É, isso mesmo, claro que sim, Rodolfo! Diga a verdade, pelo menos dentro de sua própria cabeça. Confesse, rapaz: você voltou a morar em Itá Anhangá para reencontrar Laura, nada mais! Que absurdo! Que absurdo! Todos conhecem a boa fama da UNEITA, meu tio estudou lá e veja a ótima carreira dele, constrói pontes e viadutos pelo mundo afora! Diga a verdade para si mesmo, é medíocre, mas é a verdade! Confesse! Confesse!

Não confesso nada, boneco idiota!

Seu David ficou ressabiado, porém Quem não esteve bêbado a ponto de imaginar que um boneco está falando? Normal, normal...

O hospital público era bom, embora a recepcionista só o atendesse depois de uma hora; o médico viu o garoto e disse É... Ei, Marcos, vem ver nosso feriado só começando... Você, se sente na sala de espera, já te chamo pelo nome. Rodolfo foi atendido depois de esperar mais uma hora, às oito e meia mais ou menos, e lhe deram um banho, colocaram uma atadura no pé, nos dois dedos da mão, curativos pelo corpo todo, e ele foi levado a um leito onde lhe deram analgésicos, calmantes, soníferos e onde ele foi posto em repouso.

Antes de cair inconsciente, ouviu as enfermeiras comentando algo a respeito de um narrador nacionalmente conhecido pelas histórias que conta, e que viria comandar a festa de aniversário da cidade. Então Rodolfo teve sua primeira brilhante ideia para tentar vencer seu desafio, cumprir a promessa. Mas, para isso, Laura precisaria estar na festa, Não sei como isso vai acontecer, não sei se é muita teimosia, é muita teimosia, preciso terminar esse desafio agora!

VIII

A amiga respondeu que Sim! Claro! Tenho que te contar sobre um narrador que conheci na capital! E Laura se despediu dos pais, dizendo que iria pegar um ônibus para ir à casa da Lú - Lúcia -, na Rua Arimateia, onde Laura morou com seus pais quando criança.[14] O pai ainda se ofereceu para levá-la, mas Laura não quis aceitar a oferta, dizendo que não estava com pressa, e dizendo-se saudosa em relação à cidade, queria ver um pouco as ruas e circular.

Saindo de casa, andando meio quarteirão[15] já foi capaz de observar a praça toda pronta para a festa de aniversário. Nossa, que cabeça a minha! ela pensou. Bandeirinhas multicoloridas, lamparinas apagadas, mas já penduradas, a cidade terminava os preparativos. O centro estava isolado para passantes, só moradores e organizadores da festa podiam estar ali, eram dez horas da manhã. Laura foi caminhando até a praça, onde tomaria o ônibus que a levaria até a casa de Lucia, na Rua Arimateia. Nem bem dez minutos se passaram, o ônibus veio, Laura fez o sinal e embarcou no veículo, pagou o cobrador, sentou-se perto da janela no lado direito - e começou a observar os nomes das ruas, como quem relembrasse da tabela periódica.

Inventava nomes e adivinhava entre as letras apagas pelo tempo, sua ação mental modificava toda a topografia e cartografia da cidade; os marcos oficiais desapareciam,

---

14 Lucia morava lá desde a adolescência, Laura tinha doze anos quando Lúcia se tornou sua vizinha, indo morar exatamente na casa que pertencera à família de Rodolfo.

15 Quando visitei a casa de Laura, me dei conta de que sua rua acabava de frente para a principal praça da cidade, a rua onde morava era a rua que rebatizava como "Chiquinha Gonzaga", e que cortava a avenida da "Praça Villa-Lobos", a "Avenida Copérnico".

substituídos por pequenos jogos de palavras, alusões e visões. Por exemplo: a Avenida Procópio se tornava doravante Avenida Copérnico - muito extensa e cortada por várias ruas e outras avenidas - tudo era um anagrama de copo, hérnia, Nico (amigo de infância). Depois, quase ao fim da avenida, o ônibus virou à esquerda, na Rua Kafka, anagrama de K. Farkas com duas letras apagadas. Ela se lembrava desse nome de uma loja têxtil, onde veio uma vez com uma senhora costureira, muito vaidosa e fofinha. Se lembrou do batom, abriu a bolsa e o viu preso entre a carteira, o telefone e uma agendinha, onde anotava ideias, se sentiu vigiada, presa também, qual era o nome daquele sentimento? Claustrofobia. A rua pareceu estreitar-se, o motorista seguiu até onde pôde, entrou depois na onde se lia somente as letras "Rua Ma c o de Ass ", "Marcos de Assunção", um famoso ex-prefeito que construiu o centro de convenções com a agenda mais vazia do Hemisfério Sul. O ex-prefeito se tornou "Machado de Assis" em sua cabeça, era uma rua virando à direita, com docerias, confeitarias, padarias e casas de câmbio da cidade. Laura era um anagrama sem sentido de "Lua-Rá", de "rua lá", de "auarl", de "aula rrrrr". Nesta rua se foi até que ela cruzasse com a Rua Paulo Freire, então o ônibus virou à direita e seguiu, e aí foi possível ver o instituto onde Laura estudou quando pequena, Instituto M. Bandeira[16]. Por esta rua, o ônibus entrou no bairro das Paixões, e depois de breves voltas pelas Ruas Judeia, Galileia, Cananeia. Engraçado que não pensasse em elementos químicos, moléculas de carbono ou alcoólicas para renomear ruas! Era de todo modo mentira que o ônibus navegasse entre personagens tão famosos, mas já se não poderia recuperar os verdadeiros nomes sem que se perdesse a passagem do ônibus. Errar-se-ia por preciosismo.

16 Obviamente Laura não se lembrou do fato de ter estudado com Rodolfo naquele instituto. Na hora em que viu aquele lugar, lembrou-se somente de um professor de física por quem fora apaixonada na adolescência.

Rua Arimateia, ou o diálogo com as letras soltas de "Rua Ari Matos Cesareia". Ali ela parou e, caminhando por dois quarteirões, chegou à casa de Lúcia.

Tocou a campainha e foi rapidamente atendida, mesmo assim ainda houve tempo para que ela olhasse sua antiga casa, então transformada em loja de roupas. Lucia abriu a porta e disse Laura! Entre, por favor! Laura atendeu ao pedido e entrou sem demora, Lúcia a tomou pelo braço puxando e fechou a porta sem cerimônias - fazendo madeira e madeira ribombarem - conduziu-a até a sala, para que ficassem mais à vontade, e Lúcia pudesse falar sobre o inesquecível narrador que conhecera na capital.

"Apresentador", você quis dizer...

Não, é "nar-ra-dor" mesmo, como ele gosta de se definir, narrador, porque narra qualquer conto, é capaz de conduzir os ouvintes por qualquer meio: rádio, televisão, escrita, drama, comédia, melodrama, farsa, pantomima.

Uau, Lú! Eu não sou da área, mas ele parece maravilhoso.

E é...

Não sabia que alguém pode simplesmente se chamar de "narrador"

Não, qualquer um não. Você precisa ver o currículo dele!

Uau, Lú!

Você parece descrente, Lá! Ele tem uma voz linda, é tão charmoso, é a voz mais grave que conheço, disse Lucia sem rodeios e excitadíssima. Era uma mulher bonita, de cabelos bem pretos e cacheados, de tipo chamativo e de olhos vivos, castanhos claros, não era tão alta quanto gostaria, mais baixa do que Laura, por exemplo, e terrivelmente simpática. Sobretudo era lúcida, sincera e verdadeira, uma ótima companhia para qualquer momento[17]. Laura até se espantou com o entusiasmo da amiga e perguntou Onde você o conheceu? Ela explicou como conhecera aquele narrador, galante, cosmopolita, charmoso, brincalhão, gentil, sério, justo, honesto, humilde, de poucas palavras e sempre certeiras, entonação perfeita, presença de espírito.

Hã... Onde estávamos?

Ah! Sim! Ela disse à amiga que o conhecera na capital, quando fazia um curso de dublagem - estudando dramaturgia na capital - e que ele foi o principal palestrante, com sua vasta experiência em televisão e rádio, e filmes e curtas... Laura perguntou novamente quem era. Com a resposta de Lucia, desatou numa risada muito escarnecedora e jocosa, riu demasiado e disse maldosamente o que segue:

Ele!? Este narrador é um cabeça de bagre, amiga! Não vale o chão onde pisa! Ouvi falar que ele demorou oito anos pra se formar na faculdade de direito, e virou um vagabundo que, por acaso, foi descoberto pelo dono de uma rádio, quando estava trabalhando com venda de redes e panos de prato, de porta em porta! Laura explodiu em risos, Ouvi ainda outras coisa, que além de narrador dramático, de dublador lunático, ele ainda é caloteiro e pamonha! voltou a rir, sem esconder seu desdém.

Lucia não se fez de rogada, estava apaixonada, e disse: Olha, Laura, eu nunca disse nada a respeito dos rapazes com quem você anda! Quis te contar, porque te conheço desde que me mudei para cá! Ele não é isso aí, não! E, além do mais, nem adianta, eu estou apaixonada por ele! E o que é melhor: é ele quem vai conduzir a festa de hoje à noite. O

---

17 Lúcia era uma mulher dedicada e delicada, muito simpática e ademais, sensível. Gostava, assim como eu, de música clássica para orquestra, órgão, etc. – Bach, Mozart, Vivaldi – e também aprendeu a gostar de chorinho. Eu adoro chorinho. Tinha um gosto refinado, como o meu.

prefeito o contratou, e ele já está na cidade – fazendo suas narrações, contando suas histórias – preparando-se para o aniversário, e eu estou me preparando para ele, só para ele. E já que você está aqui, você pode me ajudar!

Laura ficou muito encabulada com sua falta de compreensão, e pensou que o tal narrador até que era boa pessoa. Mesmo assim fez questão de comentar: Esta festa será horrível, aquele monte de gente se aglomerando para ver o prefeito e o narrador, até mesmo o clima gostoso de inverno, frio, vai se tornar um inferno! Ai... Só de pensar eu já tenho vontade de me trancar em casa. Laura de fato era muito reclusa e adorava o frio, o escuro, tinha costumes bem noturnos, o que não impediu Lúcia de implorar-lhe a presença na festa Eu preciso de companhia até encontrar o narrador!

Laura disse não e repetiu Não! a outra lhe pediu tanto, que ela acabou cedendo e prometeu pensar no assunto. Mas não queria mais falar, calou-se, como fazia quando contrariada, deixou a amiga atriz falar – esta, ao contrário, adorava falar de qualquer jeito, em qualquer ocasião, deveras extrovertida. E, assim, contou tudo o que acontecera no seu curso na capital, ocorrido três dias antes do feriado prolongado. Não demorou muito para Lúcia perguntar o que ela tinha – isto sempre acontecia – e Laura respondeu que não tinha nada – isto também sempre acontecia.

Nada, nada, você nunca me conta o que acontece contigo! Eu aqui, te contando tudo, cada detalhe!

Se eu falo o que penso você reclama, Lú.

Reclamo nada, você é meio... bruta...

Depois de almoçarem todos juntos – tradição familiar – as meninas, o pai, a mãe e as duas filhas mais velhas da família, as duas amigas foram para o quarto de Lúcia. A amada dos narradores mostrou a roupa que pretendia usar para submeter-me aos seus caprichos. Laura aprovou tudo, mas pediu para falarem sobre outra coisa. As duas estavam falando sobre o fim dos respectivos semestres nas respectivas faculdades. Depois, no computador, viram um filme romântico desses bobos, depois a anfitriã mostrou umas fotos do narrador, músicas que andava ouvindo e outros filmes curtos do narrador: animações, emissões de rádio, pequenos trabalhos em gibis. Às seis e meia da tarde, a hóspede resolveu ir embora. O pai da amiga ofereceu-lhe carona até sua casa, o que foi aceito de bom grado.

Lú disse que ficaria se preparando para a festa, e ajuntou ainda que passaria pela casa de Lau para buscá-la para a festa. Você não pode se trancar para sempre, Lála! Você tem que deixar as pessoas mostrarem que te querem bem! Você é uma pessoa ótima, só que meio tímida! Eu vou te buscar e vamos dar uma volta na praça pelo menos!, Laura odiava ser repreendida, e deixando claro que detestava aquela festa caipira, disse - fazendo piada de Lúcia - que não tinha roupa de festa junina, a respeito do resto - sobre ser muito tímida e não permitir outras pessoas na sua vida - não fez declarações.

Preferiria assistir um filminho em casa mesmo, Lú.

Ai, ai, ai!

Antes que o pai saísse com o carro e levasse a visitante de volta à sua casa, na Rua Chiquinha Gonzaga, Lúcia insistiu em arrastá-la para a comemoração.

Eu já me decidi, não vou a esta festa idiota! Foi a sua resposta.

IX

Laura precisaria estar na festa. Era no que pensava Rodolfo antes de cair inconsciente, e foi o que o acordou de repente.

Ela precisa ir!

Ficou como que catatônico ainda, por algum tempo, olhando ora o teto escuro, ora uma Lua distante entrecortada pelas persianas da janela. Estava sorumbático, abatido, fleumático, comedido, zonzo. Viu no relógio da parede que já eram seis horas da tarde. Ficou desesperado e tentou se levantar para ir embora. Mas havia um soro ligado a seu braço que o impedia. Chamou a enfermeira, mas a técnica de enfermagem veio e disse que não podia fazer nada, esta por sua vez chamou uma enfermeira, que também não podia fazer nada, que chamou a chefe das enfermeiras, que também não podia fazer nada, que chamou o médico. Este o examinou e disse: Eu não posso fazer nada, você está muito nervoso, precisa descansar, precisa dormir, precisa de muitas coisas, rapaz, a começar por um bom sonífero e um bom analgésico. Nossa, como você está febril!

Ela precisa ir, doutor! Ela é um crânio! Um crânio! O que faço?

Rodolfo olhou para o relógio e viu que já eram seis e meia. Não disse nada, ficou olhando seus próprios ferimentos, tentando sentir seus dedos, Preciso pensar rápido em como chamar a atenção dela, se estiver lá! Ela é muito inteligente! Preciso sair daqui, preciso sair daqui e pensar rápido.

Tomou o analgésico, o sonífero. Já estava meio sonolento novamente quando perguntou à técnica de enfermagem – ela tinha ficado para ver se ele dormiria sem maiores problemas – a que horas começariam as festas.

A festa começa às oito e meia da noite, quando o prefeito vai fazer um discurso, e depois do show, vai começar a quadrilha... A funcionária falava docemente, as vogais eram ouvidas com lentidão, sua capacidade de fixar a atenção esborrou. Caiu dormindo no meio da frase.

Às oito horas se levantou de novo. A técnica pareceu ter se ausentado por alguns minutos, talvez para comer. Jogou o lençol para fora da cama e se levantou vagarosamente, para sentir sua própria resistência e força, apoiou com cuidado o pé no chão, segurou firmemente o suporte do soro com a mão esquerda e procurou as roupas com as quais chegou ao hospital. Para ganhar tempo, despiu-se logo daquele avental e da calça branca que vestia. Nesse ínterim, uma velhinha do leito ao lado acordou e viu Rodolfo andando nu pelo quarto carregando o suporte do soro, soltou um gritinho rouco e curto, não tinha forças para gritar pois estava com laringite, entre outras coisas. O rapaz não deu muita atenção e continuou procurando, até encontrar um saco de roupas localizado sob seu leito - demorou muito para pensar nisso - mas, vendo o quão ridículas eram as roupas, uma saia, um sapato com fivela, quem usa isso?! O que está fazendo aqui? continuou procurando. No quarto inteiro era possível ouvir uma voz miudinha dizendo: Tarado! Tarado! Enfermeira, tem um tarado querendo me pegar!

E em breve, os outros dois leitos seriam abalados por aquela voz. Vendo que deveria agir o mais rápido possível, Rodolfo vestiu as únicas roupas que encontrou - Onde será que enfiaram minhas roupas? - que estavam dentro daquele saco sob sua cama: uma cueca cinza, uma calça vermelha, uma camiseta branca, tênis azuis - Ei!? Estes tênis são meus... Eu odeio estes tênis, mas são meus. Será que alguém neste quarto me roubou? Deixa pra lá... - com meiões verdes que iam até os joelhos e, por último, o sobretudo escuro, a única peça de roupa da qual se lembrava nas últimas horas, Ah... Eu me lembro de ter trazido isto!

Sem entender qualquer coisa, mas com muita pressa, saiu do quarto e se esgueirou pelos corredores para ver até onde poderia chegar. Entretanto os corredores principais estavam lotados de médicos e enfermeiras, recebendo a todo momento gentes que começavam a festa mais cedo, crianças que tinham doces entalados na garganta e coisas dessa sorte. Rodolfo parou de ficar procurando uma saída pelos corredores e, quando viu uma enfermeira se aproximar, voltou rapidamente ao seu quarto. Decidiu sair pelo lado inverso, se debruçou pela janela para ver a altura da queda, e quão feliz foi ao perceber que seu quarto era térreo - Nada de quedas, Ufa!... - então ele saiu com o suporte do soro, pois julgou que seria embalde e trabalhoso fazer curativos ali antes que alguém chegasse, e com o par direito do tênis na mão. Os outros dois leitos acordaram, e a velhinha do "Tarado! Tarado!" desmaiou.

Rodolfo foi andando pelas ruas menos habitadas. Depois de cinco minutos estava no centro e foi impossível passar desapercebido. Como disfarçar sua condição? Preciso pensar rápido! Então tentou disfarçar fingindo fazer um tipo caipira, mancando comicamente e rindo à larga. Uma criança correu envolta dele, pulando e rindo, pediu para tirar uma foto Você é o quê da festa, tio? E a mãe se aproximou para tirar a foto com o palhação caipira, de sobretudo e ruivo, Rapaz, esse prefeito pensa em tudo! Você está vestido de quê? Gente, mais perto, senão a Nina não aparece na foto e o Vitor fica com o braço cortado, Tio, o senhor está se sentindo bem?

Desculpem, he he he, preciso terminar de passar a maquiagem de... de palhaço, estava só testando uns passos de dança.

Muito bem, amigo! A criançada vai adorar.

Estava pálido, e isto só realçava o fulgor de seus cabelos vermelhos. Rodolfo rapidamente começou a suar muito, a mancar mais e mais. Seu apartamento ficava numa rua paralela à Avenida Rui Barbosa, que formava junto com outras três avenidas, Avenida Copérnico, a Avenida Mario de Andrade e Avenida Berta Lutz, um dos quatro lados da praça central da cidade, a praça Villa-Lobos. Estamos adotando aqui parcialmente a nomenclatura criada por Laura, porque é a descrição topográfica mais familiar ao leitor.

Vindo da Avenida Mario de Andrade, continuou até sua Rua "Galateia", sempre caminhando pelas sombras. Não se lembrou de nenhum dos passantes porque estava ficando zonzo de novo, e entrou por sua rua, subiu o mais rápido que pôde, revistou seu sobretudo e encontrou as chaves – que deixava sempre lá. Entrou e tomou um copo de água. Tomou muita água na verdade. Não parava de tomar água.

Lembrou-se do soro, pegou uma caixa de primeiros socorros que tinha na cozinha mesmo, retirou o soro e o sangue escorreu muito até que ele conseguisse estancá-lo. Mas conseguiu, com gaze cobriu a abertura, com um esparadrapo cobriu a gaze, com uma atadura abundante cobriu o esparadrapo. Assim, foi ao banheiro lavar o rosto, estava se recuperando. Precisava comer. Abriu a geladeira e encontrou: um pote de maionese vencida, uma garrafa de vodca pela metade, um prato fundo com espaguete à carbonara, três pedaços de pizza fria, que colocou no micro-ondas. Preparou um café para si. Comeu e bebeu. No relógio eram oito e vinte e cinco da noite. Procurou outra roupa para vestir naquela soirée festiva. Vestiu uma camisa azul, uma calça social cinza e um par de sapatênis azuis, para tal retirou, não sem muitas dores, a atadura do pé direito, por cima o sobretudo escuro, pois o frio do inverno em Itá Anhangá era de gelar o sangue. Apalpou no fundo da gaveta de meias e cuecas sua relíquia. Nas últimas semanas se tornara um ritual conferir se o objeto ainda estava lá. Tratava-se do único presente que seu avô lhe deu antes de morrer, aos quinze anos, quando Rodolfo ainda parecia um adolescente promissor e disposto a absorver outras influências, além daquelas malditas fitas de videogame.

Li este exemplar, quanto tinha a tua idade, menino. Comprei com o ordenado da fábrica, em uma banca de revistas lá em Campinas. Um dia vai ser de préstimo!

Aquele era agora seu livro preferido. Nunca tivera antes um livro favorito, senão videogames, jogos, revistas, gibis, Esta mulher já está me transformando! – ele pensou consigo e não sabia precisamente de que mulher falava, provavelmente alguma que vivia dentro dele, em sua imaginação e que não existia – E agora que preciso atrair a atenção dela, finalmente serve de algo! - ele se aconselhara com o livro a respeito da primeira forma de provar que amava Laura sem dizer eu-te-amo.

Isto é seu desafio.

E naquele momento, lembrou-se de escutar um conselho do próprio livro – é possível? – ou de uma lembrança do avô já falecido. Lembrou-se de escutar, antes de cair inconsciente no leito ouvindo as enfermeiras e aproveitando seu delírio de sono e calmaria, o rapaz ouviu alguém dizer, Você tem que fazer este narrador declamar algum soneto do Vinícius, rapaz. Ao que Rodolfo pensou e redarguiu, Não, esquerdo! Ele vai declamar o poema número quinze do Neruda. E para um neófito no mundo das letras, estava bem acompanhado. Olhou na sua pilha de livros os volumes de poesia, ainda não memorizara nada, porém sorriu confiante.

Então esta foi a primeira grande ideia dele para vencer seu desafio. Abandonou a casa, muito nervoso, tremendo. Desceu as escadas levando seu exemplar de Neruda num bolso, a carteira e a relíquia no outro bolso. Eram oito e meia, alguns fogos de artifício foram lançados e ele viu o prefeito passar em um carro aberto pela Avenida Berta Lutz. Caminhou rápido para dentro da praça e chegou ao palanque antes que o prefeito – por sorte a segurança se encarregava exclusivamente do administrador municipal, enquanto que o maravilhoso e internacionalmente conhecido narrador ficava no palanque, somente com seu empresário, observando o carro do prefeito dar uma volta na praça e parar atrás do palco.

Subiu as escadas - os sapatos apertavam muito o pé torcido-inchado - o mais rápido que pôde. Explicou sua situação, exagerando seu sentimento e mentindo a idade do desafio para o narrador - este totalmente compreensivo e muito profissional - que entendeu imediatamente e interferiu em favor do menino:

Vou declamar, mas só poderei fazê-lo depois da quadrilha, que acontecerá às nove e meia, tudo bem?

Tudo bem!

Eu acho que poderei declamar a poesia às dez horas, o que você acha?

Ótimo! Rodolfo respondeu, Ao fim, e é muito importante o que vou dizer, o mais importante de tudo até, lembre-se de me anunciar como o "Ruivo da Rua Galateia dedicando o poema para a Morena da Rua Arimateia". Ela saberá que sou eu lhe dedicando o poema.

Sim, senhor! Tudo certo! Foi a minha réplica de narrador.

Do Ruivo da Rua Galateia para a Morena da Rua Arimateia.

Leio todo o poema?

Por favor, não. Leia somente estes versos aqui... - indicou no livro - Leia somente estes versos, "do Ruivo de Galateia..."

"para a Morena da Arimateia", pode deixar!

O trato estava feito. Ato contínuo, dois seguranças da prefeitura subiram e enganchando cada um em um braço de Rodolfo, o acompanharam até o meio das escadas e o lançaram de lá. Assim, o prefeito pôde subir, e ninguém se deu conta do rapaz. No chão por alguns segundos, levantou-se e não gemeu, apesar da dor que sentiu. As barracas estavam vazias, contudo já havia bebidas alcoólicas, essencial para o bom decurso da efeméride. Comprou um copo de vinho quente com canela e sentou-se em um dos bancos da praça, no lado da avenida Copérnico. Abriu o outro livro, sua relíquia, seu conselheiro e novo melhor amigo, começou a ler, muito concentrado, até que pensou: Mas como saberei quem é Laura? Será que ela virá à festa? Será que ela me reconhecerá?

A cidade se alvoroçou muito quando o narrador anunciou, com sua competência ilimitada e talento sem par, o discurso do prefeito. A cidade explodiu em aplausos e gritos, quando a fala do administrador começou:

Vocês, cidadãos de Itá Anhangá, a cidade dos novíssimos começos...

Que hora viria o poema, raios?! Sua única opção era passear muito entre os passantes, olhando rosto por rosto, olho por olho, cada mulher e cada menina - não sabia se Laura mudara muito de fisionomia. Deu uma volta na praça inteira e voltou a sentar-se no mesmo banco. Já não tinha tanta pressa, esta ideia daria certo com certeza, e por ora só queria voltar a ler, até que tomava gosto por aquilo, afinal para conquistar uma mulher que é um crânio, um gênio - "Um crânio!" - precisava se esforçar, isso sim!

X

Não vou a esta festa idiota! teimosa, Laura ainda repetiu para si, ao girar a chave na fechadura e entrar em sua casa, e prometeu dar só uma espiadela da sacada do seu quarto. Curiosidade insana. Entrou logo no banho. Faltavam quinze minutos para as sete horas. Ficou longamente no banho, pensando em como se livraria da obrigação de participar da festa: o barulho era inevitável, a amiga era inabalável e ela também não tinha nada para fazer. Deixou de pensar nisso quando se apercebeu de que a melhor coisa da noite seria beber quentão naquela festa caipira. Começou a pensar em Renato, um namoradinho da universidade, lábios grossos, forte, de poucas palavras. Ele até prometera aparecer um dia em Itá Anhangá, de surpresa.

Depois de algum tempo o pai, preocupado com desperdício de água na ducha, bateu à porta e para provocá-la Está se perfumando para o tal Rodolfo, o "Foguinho", filha? Ele disse que ia à festa... Eu e tua mãe vamos dar um pulinho na casa da tua vó.

Aff! Que saco, pai, já tô saindo! Ela disse irritada. Irritada, todavia ali, na intimidade de seu banho, desta vez riu com prazer envaidecida um riso que saboreava a possibilidade do reencontro. Um reencontro com Foguinho! Um arrepio atravessou todo o torso molhado e nu, desde a base das costas até a nuca. Pensou que até amaria o menino de novo, confessava, era um bobalhão, coisa da infância, é estupidez, Será que ele estará na festa? Por que não? Mas será que eu o reconheceria? Será que ele me reconheceria? Provavelmente não...

A noite caiu definitiva, com o azul escuro mais profundo abaixo do Trópico de Capricórnio. Quando já dez minutos passaram das sete horas, Laura abandonou o banheiro, perfumada, limpa e pensativa. Trocou-se logo, vestiu uma calça preta, uma blusa branca, tênis bem confortáveis azuis, com meias brancas, e um sobretudo escuro - preto. Ficou em seu quarto organizando as coisas até que o telefone tocou. Atendendo, deu início à seguinte conversa: Alô! Aqui é a Lúcia!

Lúcia! Sou eu, Laura!, Então, vamos à festa? Ah... Não sei não! Laura! Vamos, eu preciso de você, só enquanto eu não conseguir conversar com o narrador, por favor! E por que você pensa que vai conseguir conversar com o narrador? Eu vou lhe explicar meu plano: às oito e meia da noite, começa a festa, o prefeito vai falar por vinte minutos, depois o narrador - lindo! - anuncia o show da noite, durante o show vão cantar os parabéns para a cidade; às nove e meia, acontece a quadrilha; depois, o narrador está livre! Como você sabe de tudo isso?" Eu vi a programação no jornal hoje! Eu vou com você, mas só se você me fizer companhia aqui em casa até às nove e meia da noite! Mas eu queria estar lá antes, para aparecer, chamar a atenção dele! Para com isso! A gente fica um pouco em casa e vai, ou você acha que os cães de guarda do prefeito vão deixar alguém subir? Calma... E tem mais, eu estou fazendo um esforço imenso, Lú, para colaborar, você sabe como eu odeio multidões! Tudo bem!

Rapidamente Lúcia chegou à casa de Laura, de carro, e esta perguntou se seus pais não iam participar, Lucia respondeu que queriam ficar em paz no feriado e que iriam dormir cedo, E seus pais, Laura? Meus pais foram visitar minha avó!

Então, Laura mostrou o recado dos pais, os trabalhos, que deveria apresentar na faculdade, mostrou seus livros, suas fotos, que Lúcia não via há muito tempo. Falou do Renato, do Mário, do Rubens, do Marcelo, do Borba, do Gato e do Estevão. Depois conversaram e comeram na cozinha até às nove e meia, ela enfim se lembrou da brincadeira do pai sobre Foguinho, Ferrugem, Ardido. A amiga ficou excitada com aquilo, É o destino, menina! Acredito nessas coisas! disse enquanto acompanhava as horas avidamente, minuto a minuto, nervosíssima. Vez ou outra, comentou a respeito do narrador, coisas de causar inveja a qualquer protagonista de história de novela, de filme, radionovela, filme preto-e-branco.

Às nove e meia partiram. Saindo pela Rua Chiquinha Gonzaga, já experimentaram a multidão desde a esquina da rua. O movimento era dificultoso. O narrador anunciou a quadrilha, "Agora, a última atração da noite: a Quadrilha Oficial da Administração Municipal!" todos riram muito com o trocadilho, inclusive o prefeito, que estava numa das laterais da praça, numa espécie de ambiente reservado, montado como um palco pequeno, de longe parecia convenientemente um cadafalso de madeira apoiado sobre uma estrutura de aço.

A quadrilha começou e foi preciso abrir espaço no centro da praça, apertando ainda mais o público. Neste momento, Laura olhou para a amiga muito aborrecida como dizendo Ai, como odeio aglomerações! Esta entendeu o recado. Depois da quadrilha, ficou animada novamente, pois o grosso da multidão se dispersou rápido, apesar de haver muita gente ainda. O narrador, magnífico, tomou o microfone num gesto magnânimo, às dez horas, o horário oficial de encerramento da comemoração, disse: "Eu vos parabenizo, ita-anhangüenses. Eu te parabenizo, Itá Anhangá. Esta cidade tem alma, sem dúvida, e ótimos cidadãos, como um cidadão que veio me pedir para declamar um poema daqui, com minha voz, e isto eu farei, pedindo a licença ao senhor excelentíssimo prefeito, e assumindo o risco pessoalmente do que eu estou fazendo. Lerei aqui um trecho do poema quinze de Pablo Neruda, de '20 Poemas de Amor e uma Canção Desesperada'". As duas ficaram a meia distância, de costas exatamente para Rua Chiquinha Gonzaga de onde vieram. E olharam fixamente em direção ao narrador. Tanto uma como outra estavam enleadas pelo anúncio, Laura principalmente, pois conhecia o poema de cor, e, enquanto o narrador não começava, repassou os versos na mente.

Neste momento, a praça ficou parcialmente em silêncio, a maioria foi buscar um pastel, uma pinga com mel. Os que permaneceram estavam hipnotizados pela voz do narrador, Lucia só conseguia pensar que aquele sujeito era maravilhoso, sensível e distinto, Como é discreto, está declamando um poema para homenagear a cidade e não confessa. Então o narrador veio possante abrindo o verbo, com a pronúncia excelente de chileno nascido em Valparaíso, falou o que se segue:

Me gustas cuando callas porque estás como ausente.
Y me oyes desde lejos, y mi voz no te toca.
Parece que los ojos se te hubieran volado
Y parece que un beso te cerrara la boca.

Plateia emocionada, alguns gritos pediam que ele terminasse de ler o poema, que ademais não era tão extenso. O narrador titubeou um pouco, até que a primeira-dama da cidade, Dona Yolotzin, uma mexicana saudosa do próprio idioma e fazendo sinal veemente ao marido, e ambos gesticulando ao apresentador, mandava:

Que sarau maravilhoso! Lê tudo, por favor. Lê o resto!

Sorrindo disse Atendendo ao pedido da formosíssima primeira-dama, sigo

Como todas las cosas están llenas de mi alma,
emerges de las cosas llena del alma mía.
Mariposa de sueño, te pareces a mi alma,
Y te pareces a la palabra melancolía.

Me gustas cuando callas y estás como distante.
Y estás como quejándote, mariposa en arrullo.
Y me oyes desde lejos, y mi voz no te alcanza.
Dejáme que me calle con el silencio tuyo.

Dejáme que te hable también con tu silencio
claro como una lámpara, simple como un anillo.
Eres como la noche, callada e constelada.
Tu silencio es de estrella, tan lejano y sencillo.

Me gustas cuando callas porque estás como ausente.
Distante y dolorosa como si hubiera muerto.
Una palabra entonces, una sonrisa bastan.
Y estoy alegre, alegre de que no sea cierto.

Laura repetira verso por verso, junto com o narrador, sem refletir sobre o que poderia significar a escolha daquele autor e poema. Quando terminou de declamar a poesia, o narrador foi ovacionado, aclamado com palmas, gritos e lágrimas. Ao fim da poesia já viam os casais se beijando ou se olhando silenciosamente, enquanto Lúcia pensou, por um segundo, que o narrador declamava para ela o poema. A fala final do narrador foi bastante para alimentar na mente da candidata à atriz esta versão.

O narrador disse Não posso deixar de mencionar que este poema é dedicado especialmente para a Morena da Rua Arimateia, do Ruivo da Rua Galateia, Lucia então gritou, gritou muito e foi correndo para o palco, querendo beijar e abraçar o narrador[18], afinal ela era a Morena da Rua Arimateia.

Nem ouviu quando Laura disse O narrador não é ruivo, bobinha! Nem precisou repetir o recado à amiga, pois viu o malogro das intenções dela, barrada na escada, com um certo sarcasmo. Refletiu um pouco sobre como seria bom ter alguém que lhe dedicasse um poema no dia do aniversário da cidade, e como a tal "Morena da Rua Arimateia" seria feliz quando encontrasse o "Ruivo da Rua Galateia". Ficou triste por não ser a "Morena da Rua Arimateia" ...

18 Eu não sou ruivo, mas meu pai era. Lúcia, coitada, não conseguiu subir, porque apesar de estarmos no fim da cerimônia, havia muitos seguranças no palco e na escada do palanque.

Quer saber? Rodolfo bem que poderia fazer isso por mim... Seria engraçado... Talvez eu ficasse feliz, cinco, dez anos atrás, se um moleque me dedicasse um poema de amor em plena festa cívica junina! Ele viria depois até mim, imberbe, cheio de espinhas, com sua voz esganiçada de quem está crescendo, Oi, Laura, tudo bem? Lembra? Lembrar do quê, menino? Lembra que te escrevi durante um par de meses, umas declarações tímidas e depois deixamos de nos falar porque você sentiu ciúme... Ciúme, eu?! Menino, mas já estava namorando desde os treze, você não me conhece... He he he pode ser. Você aceita dançar a quadrilha comigo? Mas a quadrilha já dançou! Aceita dançar comigo ano que vem?

Ora! O que eu estou dizendo? Ele deve estar cansado dormindo em algum canto desta cidade! Mas bem que ele poderia me encontrar, ia ser bom, quero dizer, engraçado. Riu um pouco com sua ingenuidade e quis ir embora.

XI

Só queria ler seu livro. Por que eu não trouxe um jornal ou revista, estou muito nervoso para poesia... - ele refletia. Respirou fundo e se abandonou à leitura, sempre sendo perturbado pelo volume de fogos que soltavam na festa. Perturbado ainda pelos passantes que o observavam muito desconfiados, porque era ruivo - ainda que o suor e a prisca escuridão já dissimulassem a cor de suas madeixas - e porque vestia roupas tão sóbrias, na noite junina do aniversário de Itá Anhangá. A maioria não se furtava a um comentário do tipo: "Olha aí o forasteiro, o jovem recém-chegado!" ou "Olha o palhação ruivo, mamãe", e de fato sentado como estava, com sua figura tétrica, lendo um livro de poesias no meio da multidão, eram motivos suficientes para que fosse impossível se esquivar da maldade da maioria das pessoas que passavam.

Quando às nove horas soaram na catedral, que estava de frente para o palco, Rodolfo se levantou: Agora quero ver as pessoas todas dessa cidade, se Laura estiver aqui, eu saberei, e vou olhar dentro de todas as pessoas aqui. De alguma forma, vou propor meu desafio para todas as pessoas nesta praça. Então guardou o livro e levantou-se e foi comprar vinho quente com canela, para não parecer tão hostil às pessoas. Passou os minutos seguintes com o copo na mão, começando a vasculhar cada milímetro da praça e das redondezas, olhando todos, até as crianças. Como estava muito frio, sorveu muito rapidamente o líquido, olhou dentro da carteira. Poderia comprar mais vinho-quente-canela ou quentão-pinga-gengibre, e de fato o fez, tinha ao bolso algumas fichas, para consumir mais à vontade o líquido. E os minutos se consumindo, o show estava no meio, e Rodolfo não tinha visto ninguém parecido com Laura. Mais um copo de vinho-gengibre-quentão-canela-pinga-com-mel, ele sorvia com orgulho, agora se misturava com as pessoas que assistiam ao show e brindava com companheiros de festa. Aproximou-se demais do palco, subiu dois degraus da escada para enxergar melhor o público, dali viu todos os ligeiros preparativos feitos para um número teatral. Uma escada de madeira foi colocada no proscênio à direita, a iluminação mudou um pouco, um pano escuro gigantesco foi desfraldado de repente, escondendo todo o palco, Vocês agora terão o prazer de conhecer a melhor trupe de teatros aqui de Itá Anhangá a "Companhia de Fogos e Artifícios", o narrador anunciou e perorou ainda por um minuto a pedido de um estafeta da Prefeitura, enquanto o público se ajuntava. Esse empregado muito pressuroso andava às turras com a instalação dos holofotes, feita por uma empresa terceirizada que de repente decidira não ajudar mais a organização da festa. Os integrantes da trupe e os funcionários municipais, distraídos, não viram que ele ficava ali insistentemente observando tudo, como uma águia procurando sua presa no meio do público. Subitamente os olhos de Rodolfo se enterraram nas mãos do diretor da companhia parado dois lances de escada acima, as quais retinham um pequeno calhamaço de papéis com os legíveis dizeres:

LADRÃO DE CAQUI
máscaras ou títeres

ARGUMENTO DA COMÉDIA:

Um doutor após um longo dia de provações e jejuns é convencido por um espírito a desviar seu caminho ao ver uma árvore pejada de caquis perto da entrada da cidade. Após subir, os dois comem até saciar-se, então uma empregada aparece e finge acreditar nele e no espírito, escutando apenas um "mico" no alto do caquizeiro, esperando o bicho jogar mais frutos abaixo; por fim a velha proprietária do sítio aparece e o feitiço dá errado, porque ela em vez de escutar e ver um mico, vê uma coruja no alto da árvore e a espanta para que saia voando; o espírito convence ladrão de que é uma ave e ele se esborracha no chão; abandonado pelo companheiro, ele se finge machucado, é carregado pela velha proprietária, tenta fugir dando lições e recebe uma sova do policial estimulada pelo espírito.

PERSONAGENS DA COMÉDIA:
Ubira - (Saru) macaco doutor, maluco e confuso
Cocteau - (Tengu) espírito brincalhão companheiro do doutor
Paulosa - (Colombina) empregada de Dona Mariana, prática
Leão - (Capitano) policial brutamontes
Mariana - (Oto) idosa rica, dona do sítio, viúva e enxerida

"Que fome, ai ai, não tive tempo de comer nada hoje. Para cima e para baixo o tempo todo, atendendo paciente, assinando receitas, prescrições, redigindo petições e consultando juízes... essa vida de doutor não é fácil... estou tão zureta que nem sei mais se é de dia ou se é de noite."

"Aquilo que o doutor vê no fundo do vale é o Sol, meu caro senhor."
"Mas o Sol que vai ou que vem? Não sei mais a direção de nada, estou um dia inteiro sem comer, auscultando, escrevendo, meditando, visitando muita gente a pé nas redondezas"
"Ora, ora... eu posso lhe ajudar."
"Quem é você?"
"Sou o melhor amigo dos viajantes e um habitante dessa freguesia, meu nome é Cóctô. Qual é a sua graça, mestre?
"Me chamo Ubira, Doutor Ubira, médico e adêvogado"
"Advogado você quis dizer?"
"Não! Devogado mesmo, porque meu serviço é diferenciado!"
"Muito prazer, Doutor Ubira! Já sei como matar o que está lhe matando..."
"Por Tupá, Jacy e Rudá! Estão me matando. Ó não! E minha filhinha como vai ser?"
"Não, bobinho, levanta, levanta! Eu 'tô falando da sua fome. 'Tá vendo aquela arvrezinha lá embaixo, com os galhos carregadinhos de caquis?"
"Claro que sim! Hummm que delícia, adoro... minha fome é tanta que trocaria um estetoscópio por comida, podemos pedir ao dono da casa um caquizinho!"
"Não seja tonto, doutor! Demais a mais, a dona da casa é uma velha muito alcoviteira, vai querer saber da sua vida, quem é, se é casado, onde mora, ela é uma praga! E fala mais do que o homem da cobra!

"Por Tupá-Jacy-Rudá! Lá não vou, não vou lá! Nem arrastado! Não aguento minha mulher e minha filha falando comigo o dia todo 'papai, falta leite', 'marido, falta dinheiro', 'papai, quero um piercing', 'marido, vai se lavar', 'é, papi, vai tomar banho', 'homem, para de comprar estetoscópio e carimbo, compra frango assado p'ra variar!'"
"É, parece pesado."
"Por isso fico o dia todo fora de casa! Mas sempre esqueço da comida! Ai ai ai que fome!"
"Então vamos lá subir naquela árvore! Vamos lá comer dois ou três caquizinhos."
"Não sei... será que ela não vai perceber que pegamos dois caquis?"
"Doutor, como o senhor é ingênuo! Olhe lá quanta fruta! Tem mais de mil, ela não vai perceber nem se contratar um contador de fruta!"
"E existe tal profissão?"
"Não seja tão medroso e hesitante! Carpe diem, meu caro Ubira, vamos forrar a pança juntos. Vamos lá, eu o ajudo a subir."
"Como? É impossível subir aí?"
"Nada é impossível para Coctô, o senhor é um mico, pode subir em qualquer árvore: uóóóoo-bruhahahaha-uóóóóóó-manolão-miguilim"
"Uau! Não sabia que eu era um mico!"
"E falante!"
"Perfeito! Mas e se alguém aparecer?"

"Pode deixar que, eu sei o que fazer... Vou ficar aqui embaixo escondido, para engabelar quem vier"
"Hummm, hummmm, estes caquis são uma delícia! Os melhores que já comi na vida!"
"Viu só?"
"Acho que ela não vai se importar se eu comer mais um..."
"Imagina! Pegue mais um p'ra mim, por favor!"
"Huuuuummmmmm parece que eles só melhoram... ai ai será que posso pegar mais?"
"Claro, doutor! Vamos comendo! Joga mais um p'ra mim."
"Não tem perigo de passar ninguém não, né?"
"Não, ninguém nunca vem."
"Uau, olha o caquizeiro da Dona Mariana como está bonito e carregado! Bem que ela podia me dar uns dois ou três, meu ordenado mal alcança para pagar a conta do padeiro"
"Shhhhhhh! Shhhhhhhh! Quieto, Doutor Ubira! Quieto!"
"Você disse que ninguém vem aqui!"
"Pois é, qual é o contrário de 'ninguém'"
"Alguém"
"E se 'ninguém nunca vem', então quem vem?"
"Eu sou doutor, médico-adevogado, não lógico!"
"A resposta é 'alguém'! Se ninguém nunca vem, quer dizer que alguém vem de vez em quando."

"Escuto alguma coisa lá em cima da árvore, será que um ladrão subiu para roubar as frutas?"
"Shhhhhhhhh! Shhhhhhhhh! Deixe comigo, Doutor Ubira!"
"Olá? Tem alguém aí em cima? Olha, eu não recomendo ficar aí muito tempo, porque a Dona da casa vem sempre vigiar os caquis dela!"
"Olá, minha cara e nobre senhora!"
"Não sou nada disso, sou bem descara, desnobre e dessenhora mesmo!"
"Ora ora, que seja, minha descarada e desnobrizada dessenhora"
"Engraçadinho!"
"Ai!"
"Isso é para você aprender a não ser folgado!"
"Ai!"
"Isso é para você aprender a não roubar caqui sem me avisar..."
"Qual é seu nome?"
"Me chamam de Paulosa."
"Que nome... bem... abstrato. Você não tem outro?"
"Não, me chamam assim porque é meu nome mesmo."
"A senhora quer um caqui? Eu estava passando por acaso e vi aquele mico lá no alto da árvore devorando o caqui..."
"Eu sou um mico, sou eu! Um belíssimo mico!"
"Shhhhhhhh! Quieto, mico-doutor!"
"Por-Tupá-Jacy-Rudá! Tenho muito orgulho de ser o que sou..."

"E esse é o barulho do mico?"
"U-uh-uh-ah-ah-ah! U-uh-uh-ah-ah-ah!"
"É um mico? Eu vejo é um homem mesmo lambuzado de caqui."
"Tem certeza? Uóóóoo-bruhahahaha-uóóóóóó-manolão-miguilim"
"O que você está fazendo com a voz e com a mão?"
"Ué, meu feitiço sempre funciona."
"Ihhhh rapaz, comigo nem simpatia, garrafada, raiz forte, raiz média, raiz fraca, beberagem, sangria, remédio, magia, reza braba, reza mais ou menos, reza calma, veneno, estripulina, feitiço, nada pega, meu corpo não acredita nessas coisas, sabia? Meu corpo acha que é tudo superstição."
"E agora?"
"Ele só acredita em duas coisas: comida e dinheiro, aceitamos cheques, cartões, nem fiado ele aceita."
"Continua gritando, seu mico-doutor."
"U-uh-uh-ah-ah-ah!"
"Mas se eu contar para a Dona Mariana que vi um bruxo e um mico-homem roubando caqui, ela vai me dar - quem sabe? - uma moedinha ou um pezinho de alface da horta dela."
"E agora, Cóctô?"
"Shhhhhhh! Calado, Doutor! O senhor é um mico!"
"U-uh-uh-ah-ah-ah! U-uh-uh-ah-ah-ah!"
"Seu mico, se você me der dez caquis

eu vou embora sem gritar para a Dona Mariana."
"U-uh-uh-ah-ah-ah! U-uh-uh-ah-ah-ah!"
"Dona Maria..."
"Calma! Calma, Dona Paulosa! Vamos negociar: que tal cinco caquis?"
"Quero dez! Dona Maria..."
"Tudo bem, dez! Mico, joga dez caquis aí!"
"U-uh-uh-que-negociação-foi-essa? -ah-ah-ah! U-uh-uh-me-ajuda-aí-ah-ah-rapaz-ah!"
"Dez caquis, vai logo antes que eu peça mais!"
"Vai, logo! Shhhhh! Vai logo! E faz barulho de mico, que isso aí tá parecendo chimpanzé!"
"Qui-qui-qui!"
"Agora escutei o mico! Vamos lá, seu mico, estou com fome de caqui."
"Ele é meio distraído! 'Tava fingindo que era chimpanzé para afastar os bem-te-vis: eles adoram caqui!"
"Puxa vida, igual eu!"
"Shhhhh! Você é um mico, esqueceu? Vai jogando daí!"
"Que sussurração e micareta é essa no meu quintal? Paulosa?! É você aí, minha filha? Vou contar tudo para o seu patrão, o Senhor Bacurau. E o senhor aí no alto da árvore, já 'tô chamando todas as otoridades incompetentes."
"Dona Mariana? Não sou eu não, não sou não! Faz aquela mágica nela! Qui-qui-qui!"

"Volta aqui, menina!"
"Veja bem, Dona Mariana! Meu nome é Coctô. Vivo por aqui."
"Não quero saber nem de coctô nem de coc-não-tô, quero saber o que tá se passando aqui."
"Ai, Coctô! Os caquis 'tão acabando aqui em cima! Vou comer só mais umas dez, para compensar as que dei para a menina Paulosa."
"Shhhhh! Então come e desce logo! Pois é... a senhora viu foi uma pombinha e um mico, Dona Mariana... mariaaaaaaaanaaaaaa.... mariaaaaaaanaaaa...Uóóóoo-bruhahahaha-uóóóóóó-manolão-miguilim"
"Por-Tupá! O que você fez?"
"Funcionou! Eba! Mas cadê Jacy-Rudá? Você disse só 'Por-Tupá'."
"Eu às vezes vario um pouco... O que você fez com a velha?"
"Ela está levantando, silêncio, shhhhhh! O senhor é um mico!"
"Qui-qui-qui! Eu sou um mico, apenas um mico, não mais que um mico."
"Nossa, ai minha cabeça, minha caixola, estou meio zonza, o que aconteceu?"
"A senhora não lembra?"
"Não, nada, só sei que cheguei aqui no quintal para ver o caquizeiro e comecei a escutar uma pomba e uma coruja comendo meu caqui."
"Tem certeza que não é um mico?"
"Que mico o quê? Nem mico nem não-mico! Uma pomba e uma coruja!"

"E agora, Coctô? Sou um mico, só sei ser isso... Qui-qui-qui"
"'Tá ouvindo? É o som da coruja. Xô-xô-xô!"
"E agora?"
"Agora você vira coruja!"
"Xô, coruja! Xô!"
"Mas eu não sei voar."
"Shhhhhhh! Voa, Ubira! Voa! Fica tranquilo, pula daí que vai dar certo, basta acreditar."
"Xô, coruja! Sai daí agora! Vou lá dentro pegar uma vassoura!"
"Por-Jacy-Rudá! Não sei voar! Você vai ter que fazer a mágica de novo. Vai logo, antes que ela volte com a vassoura."
"Calma, Doutor Ubira!"
"Como calma, se não sei voar, como vai ser? É hoje que vou preso. Me transforme rapidinho em uma coruja, por favor."
"Você sempre foi um mico, Doutor Ubira. A única coisa que fiz foi lhe mostrar o seu primata interior. O mico está dentro de você, basta acreditar."
"É verdade mesmo? Basta acreditar."
"Bastar crer, sua fé pode mover montanhas, pode fazê-lo voar. Existe uma coruja dentro do senhor, esperando para alçar voo e cair no mundo."
"Posso voar?"
"Você tem fé ou não, irmão?"
"Eu tenho muita fé! Sou doutor! Escrevi

um artigo científico a respeito dos efeitos da fé na mentalização de curas de queimaduras de primeiro grau no queixo! Ainda não foi publicado."
"Que específico!"
"Tenho muita fé!"
"Voltei com a vassoura, agora você vai ver, coruja danada! Voa daí, vai! Meu caquizeiro, 'tadinho, tão lindo, estão quase sem fruta! Voa daí"
"Voa, Doutor Ubira! Voa, irmão!"
"Eu posso voar!"
"Xô-xô! Voa logo, desgrama!"
"Por-Jacy, vou voar, vou voar! 'Tô voando!"
"Ué, a coruja se esborrachou no chão?!"
"A senhora vê como são as coisas, ele jurava que era uma coruja-mico, mas foi só um mico mesmo."
"Ai, ai, mal consigo andar."
"Como assim? O senhor está bonitinho já, quase de pé."
"'Tô nada, olha só, ai ai ai, estou esborrachado, por favor não me machuque mais."
"O que você acha, Seu Coctô, entrego ou não entrego às otoridades incompetentes?"
"A senhora quis dizer 'competentes'?"
"Ha! Ha! Ha! Ha! Ha! Ha! Até parece que você não conhece as autoridades."
"Vivo por aqui, nessa pequena mata, gosto de ver as coisas em ordem, sabe?"
"Ai, ai, ai, estou muito machucado... Hummm... este caqui caiu sozinho lá de cima, juro, que delícia! Ai, que dor!"

"Coitado dele, está todo machucado."
"Dona Mariana, não sei não, acho que é fingimento!"
"Traidor! Traidor! Ai ai ai, por favor não bata em mim, me dê mais um caqui que a dor passa."
"'Tá aqui."
"Hummmmm que delícia. Por favor, mais um."
"O senhor está mal de verdade?"
"A senhora duvida da minha dor? Ai, ai! Ai! O que mais preciso fazer para você entender? Me leve para aquele canto ali, com a sombrinha gostosa."
"Pronto."
"Agora me traga um copinho de um tônico, um licorzinho."
"Pronto. Mais alguma coisa?"
"Quero ir de novo para perto do caquizeiro, por favor, mais caqui."
"O que você acha, Seu Coctô?"
"É fingimento, Dona Mariana. Não gosto de ver coisa errada acontecendo perto da minha mata amada."
"Traidor! Vem aqui! Por Tupá, ai se eu pego."
"Cadê o Coctô?"
"Desapareceu."
"Vou chamar o guarda: Socorro! Socorro! Tem um ladrão de caqui aqui, alguém me ajude. Aqui, senhor policial"
"Ai ai, quanta dor! Meu corpo está dolorido! Acho que quebrei uma perna!"

"Pois não, algum problema, minha senhora? Me chamo Capitão Leão, sou uma fera contra os pequenos meliantes e um cão de guarda para o resto."
" Ai ai, estou sofrendo muito."
"Olá, Capitão Leão, Coctô a seu dispor, estava olhando tudo e vi quando esse homem tentou praticar o voo desassistido."
"Hummm muito grave..."
"Traidor! Agora você voltou!"
"Pega ele, seu guarda! Ele me fez carregá-lo para cima e para baixo, minhas costas 'tão estragadas. Prende-o!"
"Ele é um perigo para a sociedade. Sou testemunha, primeiro ele se dizia um mico, depois uma coruja, vai saber o que vem depois, uma cobra? Um leão?"
"Isso nunca! Eu sou o único leão por aqui!"
"Eu sou doutor, por favor me deixem falar."
"Prende logo, seu guarda!"
"Vai levantando aí e falando, rapaz."
"Me deixem falar: sou o doutor Ubira, médico-adevogado, respeitado pai de família, autor de mais de setenta artigos científicos, poemas, traduções e só de prescrição médica já escrevi mais do que Homero e Camões."
"Que homem mais culto: prende logo!"
"Muito bem, senhor doutor Birra."
"Ubira."
"Vá explicando o que aconteceu aqui."

"Ele queria comer e me convenceu a ajudá-lo a subir na árvore, eu só aceitei porque ele disse que estava com muita fome, tive dó."

"Deixe eu falar, Capitão Leão."

"Que homem mais culto."

"Trabalhei o dia todo atendendo pacientes, clientes, juízes, promotores, doentes, dando assistência a enfermeiras, operando, escrevendo, me esqueci de comer, o que acontece quase todo dia. E, por causa da minha fome, fui induzido por esse... esse demônio a subir na árvore e a roubar os caquis, mas agradeceria se o senhor policial pudesse me dar uma carona de carro até a minha casa..."

"Bem, se o senhor é muito educado para receber o tratamento padrão..."

"Educado demais: prende de uma vez, seu guarda!"

"Capitão Leão, lembre-se: hoje é mico, amanhã é leão."

"Isso nunca."

"Fecha a matraca, seu traidor. Vou pegá-lo!"

"Ladrão de caqui merece o tratamento padrão!"

"Volte aqui."

"Prende os dois, seu guarda."

"Desapareceu."

"E agora, seu guarda?"

"Ué, vou usar o protocolo padrão para casos de furto de comida, roubo de galinha e prato de macarrão, acho que a analogia se aplica. O que o doutor pensa?"

"De um ponto de vista estritamente jurisprudencial, acredito que a analogia se aplique sim, galinha está para caqui, assim como galinheiro está para o caquizeiro. Segundo topos-koinos, o lugar-comum do 'quem pode o mais, pode o menos', quem pode ser preso por furto de galinha, pode ser preso por furto de caqui. Mais e menos, entendeu?"

"Eu conheço um homem, ele mora lá p'ras bandas dos Peixoto, fala bonito igualim qui nem esse daí. A filha não casa de jeito nenhum, ele é importante, bigodão, terno bem cortado, esposa só anda de perfume e vestido de grife, a filha não casa de jeito manêra, solteirinha, fala p'ra cima e p'ra baixo que quer curtir a vida. Que nada! Isso é mau-olhado, que eu conheço."

"A senhor me dá licença, escute aqui, doutor, esse princípio do mais e do menos não é do direito civil?"

"E eu sou o quê, Capitão?"

"Civil."

"Ora, então ele se aplica exatamente a mim."

"Uau, o doutor tem uma visão inovadora do crime. Posso te prender e usar o tratamento padrão?"

"Inovador demais ess'homi: prende logo."

"Por Tupá-Jacy-Rudá, pode me prender, seu guarda."

> "Lá vem o tratamento, preparado?"
> "Claro."
> "Então toma! Toma! E mais essa!"
> "Ai! Ai! Ai! Ui!"
> "Bate também, Dona Mariana."
> "Toma isso e mais isso, 'xcomungado! Vai parlamentar longe dos meus caquis!"
> "Vamos à delegacia, porque não posso deixar o Doutor Delegado de fora desse tratamento padrão."

Os aplausos foram calorosos, salpicados de gargalhadas, o espetáculo perfeito para atrair gente para ver a quadrilha. Aproveitou para se enfiar em seguida em cada canto daquele espaço, e quando os parabéns foram cantados, às nove horas e vinte e oito minutos, ele já estava de volta ao ponto de onde partira, em frente à catedral, e já estava às voltas com seu quinto copo de quentão. Às nove e meia, a quadrilha começou, e todos se afastaram abrindo espaço para que ela acontecesse. Ele então procurou se aproximar para ver se Laura não participava da quadrilha, mas já não conseguia distinguir muita coisa, e apenas torcia para que ela o estivesse procurando também.

Antes que terminasse a quadrilha, Rodolfo gastou o resto de seu dinheiro com mais três fichas de quentão. A quadrilha terminou às dez para as dez. Estes próximos copos foram consumidos em apenas dez minutos. Rodolfo voltou se lamuriando para o banco - teve sorte de se lembrar qual era o banco - e sentou, fechou os olhos e sentiu um hálito frio roçar-lhe as faces, pensou que gastara seu dinheiro todo com líquidos e de novo estava bêbado. Estava breaco, mas não febril - ainda - e percebeu que a hora de lançar seus dados estava se aproximando. Esteve com os olhos fechados nos minutos que antecederam a leitura do poema pelo narrador, até chegou a um sono leve, momentâneo.

Foi aí que Rodolfo ouviu o narrador dizer algo como: Eu te parabenizo, Itá Anhangá, um cidadão veio me pedir para declamar uma poema daqui, e isto eu farei, pedindo a licença ao senhor excelentíssimo prefeito, e assumindo o risco pessoalmente do que eu estou fazendo, lerei aqui o poema quinze de Pablo Neruda, de '20 Poemas de Amor e uma Canção Desesperada'.

Rodolfo se levantou sobressaltado e nervoso, mas só conseguiu gritar: Não pede licença, não, narrador, você mesmo disse que essa cambada é a Quadrilha Oficial da Administração Municipal! E eu assino embaixo! a voz dele não era clara, e os passantes riram, sem prestar atenção. Rodolfo ficou em silêncio, segurando firmemente o livro do Drummond na altura do coração, olhando fixamente ora para o narrador e ora para alguma mulher que passasse por ali, queria que Laura soubesse que ele a estava desafiando. Ouviu os versos e os saboreou, gesticulando timidamente, cambaleando um pouco por causa do pé, ou por causa do quentão.

O narrador declamava e ele parecia escutar sua própria voz:

Gosto quando te calas porque estás como ausente
e me escutas de longe, minha voz não te toca.
Parece como se os olhos se te houvessem voado,
E parece que um beijo fechara tua boca.

Quem visse seu sorriso naquele momento, pensaria que se tratava de alguém anestesiado ou muito mareado por alguma droga. Satisfeito, feliz com a escolha, pensava que Eis aí um jeito de impressionar uma mulher! Pode crer! E agora, o desafio está lançado! Olhou em volta e não havia outro ruivo nas redondezas. O silêncio pesou por alguns segundos Ele se esqueceu de falar de mim! Mas eu fui muito claro: "Leia este trecho e fale de mim, Ruivo da Galateia para a Morena!"

Houve uma pequena agitação no palco do prefeito, alguém esticou o braço contente e gritou alguma coisa. Deve ser o prefeito. Rodolfo, encafifado e enraivecido começou a checar suas fichas de bebida e eis que o sujeito ao microfone retornou a Neruda, porém parecia outra voz, sotaque, outro poema. Sua mente não se fixava em uma única coisa, o sujeito lia claramente em português, ou ele se lembrava da tradução:

Como as coisas estão repletas de minha alma,
(o que ele disse?) ... emerges repleta d'alma minha.
Borboleta de sonho, és igual à minha alma,
E te assemelhas à palavra melancolia.

Ficou tentando ler os lábios de uma moça que murmurava junto com o narrador, sem conseguir entender direito o que ela dizia. Era provavelmente em outra língua. Disso passou ao rosto transido de emoção da primeira-dama, sorrindo bobamente. Os atores da companhia começaram a aparecer entre a gente, alguns da comunidade nipônica se emocionaram com a peça e os abordaram vivamente, o som do microfone solitário, em meio ao palco que ainda era despido do pano enorme e dos petrechos teatrais.

Gosto quando te calas porque estás como ausente.
Distante e dorida como se tivesses morrido.
Uma palavra então e um só sorriso bastam.
E estou alegre, alegre por não ter sido isso.

Quando terminou, Rodolfo ficou em silêncio. Sua dedicatória havia sido esquecida? Em meio as palmas e ovações, tampou os ouvidos e se concentrou em olhar cada rosto, cada um. Viu uma moça à sua frente correr gritando em direção ao narrador. Só silenciou, deu-se conta de como era sério o que estava fazendo, levantou o braço para agradecer, contudo não foi percebido pelo destinatário. Telepaticamente ficou grato ao narrador. Percebeu que muitas pessoas se juntaram em torno do palco, subiam ao palanque, declamavam alguma quadra ingênua, de memória, ressalvados os acadêmicos que subiam e liam Castro Alves e Augusto dos Anjos. Definitivamente aquilo descambava para um sarau enorme, alguns dos ouvintes dispersos voltavam para escutar e sugerir versos, meninas adolescentes e namoradinhos tímidos. Era uma viagem no tempo ver como sua iniciativa atraía vozes do passado, degringolava e fazia água, ainda que estimulasse um certo instinto exibicionista e brincalhão na audiência, um sentimento que pedia mais declamação, mais rima e quanto mais patético melhor. A colônia nipônica, presente em peso à efeméride, se agitava, alguém queria cantar algum sucesso dos anos 1980 de qualquer país, um teclado aparecia no meio do equipamento de som contratado pela prefeitura. E até o Seu Matias, o servente de pedreiro, passou à frente dele abraçado aos amigos, declamando a letra de uma moda caipira. Era violeiro que ponteava como poucos na região, cantava em muitas folias quando moço. Foi visto falando em continuar noite adentro Um serão de arrancar suspiro até às pedras!

Rodolfo ficou melancólico a olhar à sua volta, sem conseguir enxergar nada direito, nem pessoa, nem Laura, nem não-Laura, nem pai-de-Laura ou mãe-de-Laura. Cambaleou e quase caiu, voltou calado para o banco e abriu sua relíquia, livro dado pelo avô ao neto que ainda representava alguma esperança, e começou a ler com lágrimas nos olhos, repetindo as palavras dos versos, sem esperar compreensão, mas como se orasse pela aparição de Laura, aceitando seu desafio, sua promessa, sua brincadeira. Ficou tão ensimesmado, naquela posição, sem sorrir, sem olhar para o lado, que nem percebeu quando uma mulher se sentou a seu lado. De primeiro olhava para as pontas dos próprios sapatos, balançando suavemente o corpo ao sabor do vento gelado, olhando fixamente a mesma página de sua relíquia. Logo iniciou um cabecear, desses que levam a mente a um devaneio paulatino, dos que vão modificando a forma da consciência em outras coisas, como o vento estratosférico modifica a forma das nuvens. Era um cochilar circunspecto e sério, de fora poderia parecer uma leitura concentrada ou um dormitar beato. Ela ficou ali, falando e falando sem parar, disse algumas coisas a respeito da poesia, do álcool e seu ódio ao álcool, quis mostrar alguma coisa, até tocou em seu braço, todavia ele estava com a cabeça enfiada no livro e mal alçou a cabeça uma única vez, quando a moça se levantou, se despedindo apressadamente.

Só a ouviu dizer Este seu livro me deu uma ótima ideia!

XII

Riu um pouco com a sua ingenuidade e quis ir embora. De uma hora para outra me lembro desse moleque desmiolado, é isso?! Vai aparecer para declamar poesias de amor?! É mais fácil o Renato surgir em um cavalo branco por aqui do que o Rodolfo me encontrar... Como vou me lembrar dele?! Tais pensamento invadiam de repente a mente de Laura; é o álcool a influenciar seu discernimento, no mais tão famoso quanto indestrutível?

E quando deu mais uma olhada em direção ao palco, viu que muitas pessoas acorreram, formando uma fila imensa, Isto está a se transformar num imenso sarau improvisado. Os piores saraus são esses, feitos de muitas intenções e pouca literatura. Ela sentia o impulso de declamar mais alguma coisa. É o álcool a influenciar sua língua? Suspirou entediada, reparando nos sapatos das mulheres a sua volta: saltos altos, plataformas, um Oxford lindo! uma sandália gladiadora num mulherão de mais de um metro e oitenta – era a famosa jogadora de vôlei da cidade, que estava bem estabelecida no maior time do país. Tinha ainda um pouco de quentão que engoliu quase sem vontade, levada a tal pelas moiras, as parcas que circulavam em sua cabeça, as mesmas que a mandavam renomear todas as ruas e avenidas da cidade, aquelas que a impeliam a interromper cada novo relacionamento, a faziam meditar após cada abraço, beijo, sexo, gozo. Olhou o céu empós de nuvens sombrias, onde algum outro deus irritado se escondesse, e mais do que desejo de rever o menino do passado, foi invadida por um impulso vazio e espontâneo de se emocionar.

Moça, você derramou quentão na minha calça...

Nossa, estava distraída, mil perdões! Você quer que eu compre outra dose de quentão, pinga com mel, vinho quente?

Ué, mas foi você que derramou a bebida...

É mesmo, que cabeça! Você quer que eu lave a sua calça?

Ha ha ha! Que engraçado! Não tem nada não, moça. Só um pedido de desculpas já está ótimo, estamos indo embora já, não é, benhêêê?

É... he he he! Eu queria cantar uma da Inezita Barroso ao microfone, amor. Não sei se me lembro de todos os versos, é tão bonita!

Amor, canta Chico ou declama um Cazuza, por favor... Inezita? O pessoal tá cantando coisa mais nova.

Eu quero cantar música caipira!

Ela não compunha não, homem!

Olha, me desculpa, interromper! E me desculpa por derramar o quentão na sua roupa...

Não tem problema, minha filha. Eu só estranhei a sua cara de sonsa, 'tava começando a ficar com raiva, mas já entendi que você é meio enluarada... Foi pouquinho que caiu em mim.

Me desculpe. Juro que vou ficar na praça até vocês cantarem a Inezita e venho aplaudir... Laura estava ressabiada com a ideia de ser "enluarada", era curioso ser qualificada dessa maneira.

Amor, vou lá, porque a fila 'tá aumentando e alguém vai cantar minha música, 'tô pressentindo...

Não carece de ficar avexada não, moça. Você é engraçada! Só segura melhor a dose de quentão!

Isto é péssimo: agora estava sem nada para segurar na mão. Olhou no chão o copo rojado e um pouco de líquido esparramado, depois viu a calça branca da mulher muito simpática com uma mancha na coxa, Que pessoa tranquila! E viu seu marido entrar na fila, conversando com o narrador, procurando um pedaço de papel para anotar algo, certamente era a letra da Inezita. Lembrou-se de ter um caderninho no bolso, com um mini lápis, onde anotava qualquer coisa: sonhos, obrigações, impressões, epigramas de vitupério, fórmulas químicas. Tentou se aproximar em vão, porque rapidamente aquilo degringolou e se tornou em uma serenata e cantoria dos infernos, com o narrador manejando um aparelho de karaokê eletrônico, um homem, cuja idade era indeterminável, veio com uma viola caipira coadjuvar quem quisesse e sorria oferecendo um pito em seu cigarro de palha.

Tentou durante um tempo cortar a fila, pedir licença, gritar para a mulher simpática, e nada, sempre com o bloquinho na mão. Os homens, mulheres e até o padre vieram somente para ter a oportunidade de declamar alguma quadra ou toada, ressalvados os acadêmicos que subiam para declamar Castro Alves e Augusto dos Anjos. Então, logo o narrador deixou alguém no comando do aparelho de karaokê, desceu do palanque e deixou de ser o centro das atenções - o que foi uma lástima para a qualidade geral das declamações - e Laura viu Lúcia abraçá-lo e iniciar uma conversa amigável com aquele sujeito.

Lúcia, Lú! Ela gritava sem ser escutada, com o caderninho na mão antes de desistir, Por que estou segurando isto ainda? E baixou a resminha de papel, colocando-a de novo no bolso. A amiga não a escutava de jeito nenhum, a empolgação retomou em torno do microfone, que revezava música, declaração de amor, declamação ruim de boas canções e até proselitismo religioso. Era o sumo da mentalidade daquela vilazinha caipira, tudo em uma única dose, Credo! Ela pensou, pegando dois copos de vinho quente desta vez e se dirigindo à amiga, para de novo buscar companhia segura na aspirante a atriz e apaixonada pelo narrador em causa. A conversa ali havia engatado muito bem, pareciam flutuar em nuvens de algum deus do amor nativo. Olhou o céu, limpo e profundo, como um horizonte marinho: as estrelas, no lugar de sempre, a Lua, numa comovida esplendura luminosa. Enluarada.

Com a marvada pinga / é que eu me atrapaio / eu pego no copo / e já dou meu taio / eu entro na venda / e dali não saio / ali mêmo eu bebo / ali mêmo eu caio, Até que ele não canta tão mal, vá lá, foi até que muito bem escolhida a música. Aproximou-se do palco sorrindo com os dois copos de vinho e aguardou o final para aplaudir, e como não pudesse com os copos na mão, tomou um copo de um gole só e entregou o segundo a um senhor já famoso na cidade por seu amor à verdade in vino, Muito obrigado, mocinha, muito gentil, muito gentil, quem sabe eu não subo aí p'ra cantar uma p'r'ocê?

Não precisa, moço. Pode beber sem cantar, viu?

E mirou novamente a amiga, completamente entretida com o seu pretendente. Pensou em ir para casa de uma vez – tão perto –, mas talvez fosse preciso esperar a amiga por algum tempo – tão longe – então seria melhor procurar um banco para sentar. As duas, às vezes, ficavam muitas semanas sem conversar direito e estava com saudades dela. Virou-se e de frente para a rua da sua casa havia um banco, aparentemente, ocupado até a metade por uma pessoa com a cara totalmente enfiada em um livro. Foi até aquele banco calmamente, percebeu que o homem suava muito naquele frio, e Laura perguntou se ele tinha febre, mas não obteve reposta alguma, só grunhidos; percebeu que ele resmungava, sofria, rilhava os dentes e estranhamente se comoveu.

Um crânio! Um crânio! E agora? Ele interjeitou em determinado momento.

Viu as mãos do homem ruivo de dedos muito longos, palma estreita e lisa, com um rosto forte, o olho era azul, ou verde – não era possível saber ao certo – e a boca era bem vermelha. E estava pálido como se fosse desmaiar, ruminava os versos de forma contida e muito sentida, e Laura perguntou por que ele sofria tanto, mas ele nem levantou a cabeça, Credo! Quanta falta de educação! É aquela coisa, né: às vezes o bêbado da cidade vai te tratar melhor do que uma pessoa que gosta de ler poesia em público.

Não era exatamente um dito ou frase feita, porém em sua cabeça fazia sentido repreender o sujeito mal-educado ao seu lado, Escuta, moço, este livro é um dos meus favoritos, sei alguns poemas inteiros de cor, sabia? Minha mãe é professora de inglês e português, me fazia memorizar páginas e páginas na infância, até uns catorze anos, depois me revoltei, comecei a fumar, sabe como é, né? Mas ainda sei alguma coisa de cabeça, vou anotar aqui, pode conferir no livro... É engraçado, não estou dando em cima de você, não, viu? Não precisa me responder, é só uma confissão, uma observação, nem gosto de festa nada, minha amiga me arrastou e aí derrubei quentão, odeio bebida alcoólica na verdade, sabe? Me faz sentir estranha, falo demais, com gente desconhecida, me desculpa, não precisa responder, quer ver só que me lembro de tudo?

Nenhuma resposta vinha dali, ele parecia inclusive dormitar com seu livro... Concentrou-se em escrever o poema. Queria sentir uma emoção qualquer, alguma coisa, qualquer uma, ficar esperando é que não convinha. Ela desejava conversar e ao mesmo tempo já desistia do interlocutor. As músicas se alternavam, a Marvada Pinga foi cantada de novo, canções do cancioneiro estadunidense invadiram o coreto, Duran Duran, The Cure, Oasis, Alanis, os jovens voltaram à praça para corrigir os maus caminhos adotados por seus pais e avós com o microfone e decidiram passar ao repertório mais novo. O slam atacou de todas as partes o microfone, três meninas se apresentaram. Ela mordia a bunda do lápis para se lembrar dos dois últimos versos, enfim esticou as folhas do bloquinho com a anotação em direção ao rapaz, que dormia...

As três folhinhas de papel ficaram ali naquele colo por alguns segundos, até serem lufadas por uma nova brisa que depositou tudo ao pé de uma árvore, onde os mais porcos concidadãos colocavam latinhas vazias de cerveja e copos plásticos de quentão e vinho.

Laura começou a sentir vontade de chorar, bem mansamente, bem devagar, quis mudar o assunto da conversa, Moço, tá vendo aquela mulher ali adiante? É minha melhor amiga... Bem, deve ser minha melhor amiga, nos conhecemos no Ensino Médio, ela será uma grande atriz, ouça o que digo, uma grande atriz! Ela não é linda? Esse apresentador pilantra aí é que tem sorte: ela está de quatro por ele! Tá na cara, não? Olha como ela pega nele, fala pertinho da cara dele, assim fica meio evidente, você não acha?

Do outro lado, nada. Ela jurava escutar um ronco.

É tão bom encontrar alguém que sabe escutar, disse com uma ironia de todo desnecessária, já que somente ela sabia da existência daquela figura de pensamento. Sentiu vontade de gritar no ouvido daquele imbecil, porém ele parecia doente, cansado, tinha uma mão enfaixada demais. Sentiu vontade de conferir no livro dele se tinha se lembrado corretamente da poesia.

Então ela teve uma ideia que a animou, se levantou, pedindo desculpa cortesmente ao homem ruivo que morava naquele livro, e disse "Este seu livro me deu uma ótima ideia!"

XIII

Este seu livro me deu uma ótima ideia!

Foi o que a moça disse antes de ir embora. Acordou de seus sonhos intranquilos, devaneios. O que estava mirando afinal, as pontas dos pés ou as páginas do livro? A partir de certo momento não fez diferença e ele se sentiu aliviado por ter papel e sapatênis tão próximos para poder ignorar a conversa incessante daquela mulher ao seu lado. Estava sozinho de novo, consultou o céu, olhou adiante e derredor: lá estava a inconveniente mulher que Queria mexer no meu livro, ela acha que não percebi? Vi até a mãozinha chegando perto... Na verdade não vi, não sei onde estava com a cabeça? Calma, Rodolfo, ela estava sendo simpática! Pronto, agora ser simpático dá direito a interromper as pessoas que estão sofrendo. Estou sofrendo aqui, é possível me deixar em paz? Será que preciso por uma placa ante este banco com os dizeres "Sofre-se" ou "Cuidado, sofrimento à vista", "Homens sofrendo"

Um crânio! Um crânio! Gastei minhas semanas pensando nisso. Eu também sou inteligente, que outra pessoa aprende a gostar de poesia sozinha assim de uma hora para outra? Como odiava literatura no fim da adolescência, não sei o que meu vô via em mim para me dar este livro.

Rodolfo se sentiu aliviado sozinho, ela o acuava no banco, agora estava mais à vontade. Cansou-se de estar encolhido daquela forma e apoiou suas costas no espaldar do banco de madeira, pintado de verde. Tentou dormir um pouco ou dormir de novo? Pois sua cabeça estava muito revolucionada pelas emoções que sentia, mas seu estado não permitiu, estava meio enjoado – tinha a impressão de haver tomado uns quinze copos de quentão – e queria ler mais um pouco e chorar outro tanto.

Viajei para tão longe enquanto aquela menina parlamentava aqui do meu lado, que até acho que chorei na minha cabeça. "Chorar dentro da cabeça", que expressão bizarra. Até acho que chorei! Pensou nisso e cerrou as pálpebras por alguns segundos, inclinando a cabeça para trás

"Sofre-se" lia-se em uma placa ante o banco. Ninguém mais quis se sentar ali.

Todavia, ao abrir os olhos, viu o narrador entrar na fila, agora mais curta, de pessoas que subiam para declamar poesias. Depois deixou a cabeça pender como que abandonada, baixando a cabeça até que a sua testa chegasse aos seus joelhos, ficou naquela posição por um tempo, segurando o livro - na mão direita com atadura - que roçava o chão. Assim esteve, as músicas e canções e poesias se sucediam no sarau improvisado: Paulo Leminski aparecia depois de Cazuza, Manoel de Barros antecedia uma música no karaokê de Tears for Fears, mais Vinícius de Moraes combinado a Tom Jobim, porque amanhã é sábado, Bocage, Camões, Beatles, Milionário e Zé Rico, Pena Branca e Xavantinho.

Um quiprocó imenso se deu perto do palco, partindo do lugar onde estavam o prefeito e sua esposa, não entendeu nada. O Secretário da Cultura, um fazendeiro idoso da região, pacato e chucro, por acaso morador da praça principal, apareceu mal agasalhado em mangas de camisa e uma calça sintética azul, meias brancas e tênis. Estava oficialmente interrompendo aquilo e mandando parar tudo pelo avançado da hora. A Polícia Militar foi acionada por ele, vieram com seus coturnos e revólveres impedir que se seguissem com a cantoria e houve aparentemente algum acordo para finalizar o evento brilhante. Brilhante evento, que o narrador dizia ao microfone, Agradeço a compreensão do Coronel B..., Rodolfo não escutou direito o nome, Acho que temos tempo para atender alguns pedidos... O narrador parou para escutar as recomendações, Temos tempo para mais três pedidos, a Sarah vai cantar uma música no karaokê do Nirvana, é isso? Estou anotando aqui, e a Carolina vai subir com seu marido para dançar lambada, Beto Barbosa, Adocica, certo? Bem, tomo a liberdade de atender a outro pedido.

Como outro, seu sacana? Se você nem se lembrou de anunciar a minha dedicatória?!

A outro pedido, vou começar lendo este poema então...

Que absurdo! Agora vai posar de bonzinho... Hei! Hei! Não se esqueça de dizer a dedicatória, então! Ele gritou mais alto do que planejara, pois aquilo soava rude e violento em meio ao silêncio geral.

As pessoas olharam para trás, balançando a cabeça negativamente e reprovando-o. A mulher do prefeito o fuzilou com o olhar. O narrador estava contrariado, porém inabalável como sempre. Ouviu-se sua voz anunciando um poema e executando-o com maestria,

Entre areia, sol e grama
o que se esquiva se dá,
enquanto a falta que ama
procura alguém que não há.

Está coberto de terra,
forrado de esquecimento.
Onde a vista mais se aferra,
a dália é toda cimento.

A transparência da hora
corrói ângulos obscuros:
cantiga que não implora
nem ri, patinando muros.

Já nem se escuta a poeira
que o gesto espalha no chão.
A vida conta-se inteira,
em letras de conclusão.

Por que é que revoa à toa
o pensamento, na luz?
E por que nunca se escoa
o tempo, chaga sem pus?

O inseto petrificado
na concha ardente do dia
une o tédio do passado
a uma futura energia.

No solo vira semente?
Vai tudo recomeçar?
É a falta ou ele que sente
o sonho do verbo amar.

Rodolfo ouviu o narrador dizer: Este poema a Morena da Rua Chiquinha Gonzaga dedica ao Foguinho, a quem ela ama muito e para sempre que voltou há pouco para a cidade, ela diz o seguinte também:Vamos ver se você ainda se lembra do desafio, Foguinho!

O rapaz sorriu e apertou forte o livro na mão direita, e os dois dedos doeram muito. Decidiu procurar Laura de novo, ela aceitou seu desafio e estava convidando-o para continuar a brincadeira, Isso, mesmo! Agora que vamos começar a jogar! Cartas na mesa! Perfeito, rapaz! Ela está aqui, qual é o nome da rua mesmo? Chiquinha Gonzaga? Será que o narrador não quis dizer "Francisca Cohn Fraga"? Deve ser dever! A Morena só pode ser Laura e o Foguinho sou eu, claro! Deveria ter pedido para o narrador me anunciar como Foguinho, as pessoas da minha infância me conheciam assim, que cabeça a minha! Eu posso provar o que sinto sem precisar de palavras, Laura! Basta eu te ver, basta eu te encontrar!

Levantou a cabeça rápido demais, e sentiu-se muito muito zonzo, apoiou-se no espaldar do banco da praça e fechou os olhos, refletindo. Ficou assim em transe. Então sentiu o toque de Laura no seu cabelo vermelho, e conseguiu aos poucos abrir os olhos, meteu o livro no bolso do sobretudo, levantou-se do banco e foi rapidamente pedir ao narrador, que estava de saída, seu livro do Neruda de volta. O narrador, muito educado e polido, devolveu o livro e Rodolfo, muito bêbado e apressado, articulou um Obrigado! e deu as costas ao narrador. Procurou se lembrar da Rua Chiquinha Gonzaga e rapidamente viu que o banco, onde esteve sentado naquela noite, estava de costas para o início da Rua Chiquinha Gonzaga. Caminhou confiante, não parecia tão ébrio, ergueu o queixo, firmou a cabeça, olhando para frente, Quanta ironia, hein? Eu, a noite inteira neste banco, e ela morando nesta rua.

Quanta ironia, ele repetiu para si, andando meio cambaleante. Como estava feliz o rapaz, sorria, sorria. Sabia onde ela morava agora, mas imaginou que ela também o procuraria e por isso deu voltas na praça, cumprimentava todos, até o prefeito que estava ainda lá. Um colega de turma lhe pagou mais um quentão. Ele o tomou com muito gosto, engolindo em poucos minutos o conteúdo do copo. Depois caiu meio desmaiado, sentado no chão com a cabeça num banco da praça e dormiu quase no colo de uma mulher que segurava um bebê e não pôde reagir. Rodolfo acordou com os berros do bebê, pediu desculpas arrumando o cabelo e perguntou que horas eram. Ela disse que eram quinze para a meia-noite e que não aguentava mais esperar o marido, Aquele descabeçado desmiolado! Observou que o bebê estava bem agasalhado, enrolado em três panos, gorro, luva, cobertor, Isso não se faz com mulher e bebê e tudo por quê?

por quê? porque aquele cabeça dura queria convencer a polícia a deixá-lo cantar o hino do Corinthians para encerrar a festa, ele sabia do time do Coronel B... - não entendeu de novo o sobrenome - sabia do time do coração do chefe do batalhão, imagina só? agora estou aqui esperando aquele... aquele fanático, tudo pelo Coringão aff... isso porque ele trabalha para o prefeito, não consegue não pensar em tirar uma casquinha puta-que-la-merda e os compadres chegaram agora também, estavam fazendo um churrasco lá no sítio do vereador G... todo mundo com camiseta de time Corinthians Palmeiras Guarani Ponte Preta São Paulo Portuguesa Santos, tem até um de Curitiba no meio e um do Mato Grosso, não sei o time deles mas acabaram de chegar... você tá vendo? todo mundo bêbado e com o barrigão cheio de carne linguiça frango pão vinagrete, o Mauro não foi por causa da festa... você tá vendo ali no canto o mundaréu de gente pedindo para cantar hino de time e o escambau? eu falei "Mauro, pelamordedeus, você está trabalhando na Prefeitura, não passe vergonha por causa dos seus amigos!"

Ele retorquiu: Mas o que a senhora está esperando? Vai para casa! É simples, alguém está prendendo você neste banco? Você quer eu a acompanhe até a sua casa?

Não precisa, rapaz, meu marido é o organizador da festa, ele, o prefeito e os seguranças vão ficar até o último cidadão sair, só achei estranho você pôr a cabeça aqui, mas entendi que você estava mal, resmungando... é como no ônibus né? a pessoa quando sente o balancinho da condução e vai logo encostando no primeiro ombro ou pedaço de vidro que encontra, eu te entendo.

Bem... boa noite... desculpe interromper e desculpe por dormir quase no seu colo.

Se levantou sem demora e saiu andando pela praça, gritando Laura! Laura! mas sem resposta. Já tinha muita fome, antes de o narrador declamar o poema. Agora estava se dando conta disso. A bebida começava a lhe fazer mal e a lhe embrulhar o estômago. Sentou-se naquele banco em frente à Rua Chiquinha Gonzaga, Ela está me esperando em algum lugar! Eu não posso demorar! mas ficou ali febril-bêbado-pálido-melancólico mais meia hora.

Estava muito pior, quando resolveu se levantar. Não conseguia andar direito, não conseguia falar direito, não conseguia pensar com clareza ou sem clareza. Só produzia bem as lágrimas ainda. E as produziu aos montes, levantou-se com cuidado e se arrastou para a Rua Chiquinha Gonzaga, onde, para encontrar sua amada, declamou a plenos pulmões o Poema Quinze de Neruda, tentando manter a cabeça sempre erguida - o que era bem difícil - e a voz clara.

No primeiro quarteirão, teve vontade de vomitar, o que fez na primeira árvore que viu. Depois, para se redimir, contou o que tinha sucedido e o que estava acontecendo. Chorou. Arrependeu-se por seu estado e disse: Eu morreria por ela! Isso nenhum desencontro me tira! Eu me mataria por ela, sem dúvida! E você, árvore, também? Rodolfo pensou que aquela talvez fosse a sua segunda grande ideia para vencer o desafio.

Ele conversou semidelirante com a outra árvore, a segunda, sentiu ali embaixo da árvore algo seco e quente - como a cinza de um cigarro - cair sobre o alto de sua cabeça, por um tempo refletiu, sua cabeça - pensou - jamais deixaria de arder, até que ele desfalecesse - foi sua conclusão. Quando passou a mão na cabeça, a cinza já tinha se apagado. Nova coisa estranha sucedeu[19]: uma voz irrompeu da árvore, sem dúvida, e perguntou: O que te fez perder o sono? Rodolfo não teve palavras para falar, mas seu dedo indicador já desenhava no ar, e como se estivesse tentando adivinhar o que aquele dedo queria dizer, Rodolfo foi repetindo as letras, assim que ficavam prontas (L... A...U... R... A…) e, ao fim, disse a palavra:

Laura...

---

19 A rua Chiquinha Gonzaga leva à ponte que passa por cima do rio Itá Anhangá, o caminho está repleto de árvores à espera de uma boa conversa. E o rapaz trilhou este caminho até a ponte, indubitavelmente.

XIV

Este seu livro me deu uma ótima ideia!, disse Laura saindo da companhia do homem ruivo. Foi correndo até Lucia, que conversava muito intimamente com o narrador, e tentou puxá-la de lado para aconselhar-se Era uma boa ideia ou não?

Mas a amiga, nem bola, esticou a mão aberta pedindo mais tempo e sorrindo sem graça, o narrador também, muito polido, interessado na menina. Um acadêmico resolveu declamar o "Opiário" de Fernando Pessoa, todos voltaram a prestar atenção, por se tratar do professor universitário mais venerável da cidade, ademais de um ingente beberrão e artista plástico. Uma pessoa, provavelmente uma estudante de artes cênicas, começou a fazer uma pantomima no meio de todos, diante do palco. Em seguida Laura fez sinais com as sobrancelhas e a cabeça por trás do narrador, Lú fingiu não ver, chamou o cara para dançar uma boa música, cantada por dois professores de colégio famosos na cidade, do Tears for Fears, Sowing the seeds of love / the seeds of love, ela ficou sem graça, a música era boa e de repente valia a pena esperar, pois a amiga talvez quisesse dizer sem dizer / open your eyes...

Me espera dançar esta música com o narrador e depois vou aí conversar contigo...

Dizer sem dizer, como fazemos com os olhos às vezes, rolando para cima, para baixo, apontando ao lado, cerrando enfaticamente as pálpebras ou com gestos – mão espalmada, estalos, cliques, top-top, espiral, giros com o indicador, acariciando uma bola invisível de força vita o chi, dedo do meio em riste, hang-loose – com interjeições ai ui fuém tchum uau tchã ué uai fon-fon-fon-fóómm tcharã eba opa xô eita eitcha ier-ier ói oi olá ôu ei epa tchã-tchã-tchãm alô ô ó huhum hum ãhn era melhor esperar a música acabar. Por que o nome da banda era "tears for fears"? rima, tudo bem, mas "lágrimas para medos", "por medos", não parece uma escolha animada. Os ex-alunos e alunos dos dois professores se aproximaram do palco e vibravam com o karaokê, enquanto uma mulher anotava os nomes dos participantes do sarau maluco que estava ocorrendo; viu na fila a esperar a música acabar um homem de meia-idade com uma viola caipira e atrás dele um adolescente argumentando com a mulher, feita responsável pela coisa toda É slam, moça, minha namorada vai declamar um poema dela, mas ela não pode saber, quero que você chame pelo microfone.

Em seguida veio uma moda muito famosa do interior, o casal de pombinhos partiu para buscar comes-bebes rapidamente, ela estava sozinha. Não, não, Lúcia definitivamente não tentou me comunicar nada não-verbal. Olvidou-se de Lúcia e decidiu sozinha, por conta própria e sem inseguranças, já que era a sua única opção: não vou perguntar nada, vou embora.

Laura se afastou, sentou em uma cadeira de uma mesa próxima a uma barraca de churrasco - típica de festa junina - e estava bem regalada com um sanduíche de fraldinha com vinagrete, embora o tempero de coentro lhe fizesse mal. Seu estômago aceitou mal a refeição fora de hora, não se sentia bem Deveria estar em casa já. Contudo viu novamente a árvore, aonde as três folhinhas de papel haviam se enroscado, a ideia surgiu de novo em sua mente e era boa, era bela, condizia com seu imo desejo de sentir algo aquela noite, uma emoção apenas, uma esperança, cócegas nos amores do passado, é uma brincadeira, uma coisa sem consequência, né? E por que não?

Vou mexer com um menino que talvez nem esteja aqui, para quê?

E por que não?

Foi à árvore, estava tudo lá, um pouco molhado, mas bem legível. Procurou na praça a sua amiga e o fajuto narrador, e os viu perto do palco. Aproximou-se, desta vez sem se comunicar com a amiga e foi atalhando e pedindo ao jovial e sutil orador:

Oi? Bem... Eu não sei como explicar, mas eu queria que você lesse um poema, por favor. A história é mais ou menos assim: quando eu era criança eu amei um menininho, durou pouco, um mês, uma semana, ele gostava de mim - eu acho, eu não tenho boa memória, sabe? - e foi por mais tempo acho, um ano? Uns seis meses? Era de brincadeira. Não sei dizer... e antes de ele ir embora para outra cidade, ele me prometeu que me amaria para sempre - era inevitável sentir-se um pouco excêntrica ao contar esta história - e eu duvidei, ele então disse que ia me provar sem usar palavras...

Aonde você quer chegar, moça?

Enfim, eu desconfio que ele esteja aqui hoje e que esteja me procurando, bem... é uma brincadeira nossa, não passa de uma brincadeira, mas estou disposta a dar risada hoje, não sei o que foi, o quentão, a bebida, vamos rir um pouco

Ok. E onde eu entro nessa conversa?

Mas como eu acho que ele não sabe meu endereço, pensei que seria uma ótima ideia pedir para você, narrador de tão elevado espírito, ler este poema do qual me lembrei agora e contar para ele onde eu moro. Alguém pediu para você ler um poema aí, não foi? Mais cedo, bem mais cedo, logo que a quadrilha passou, não foi?

Sim... Mas o que devo fazer então?

Você lê este poema e depois me anuncia como a Morena da Rua Chiquinha Gonzaga, dedicando o poema ao Foguinho, aí não tem erro porque Foguinho só teve um na cidade, e é o Rodolfo, fala assim "a quem ela quer muito e que voltou há pouco para a cidade."

Tudo bem!

Depois, se você lembrar dá uma provocada nele, fala assim: você ainda se lembra do desafio, Rodolfo?

Então um tremendo imbróglio ocorreu, com um senhor de dedo em riste e trajes esquisitos, que vinha do coreto onde o prefeito estava até o palco pedir para que parassem tudo, que a hora estava muito avançada. Depois uns trogloditas apareceram mandando os seguranças da festa darem licença, Laura demorou uns dez minutos para perceber que aqueles eram policiais militares, a mando do Coronel Brabantis. Umas autoridades se apossaram do microfone e ela ficou triste, cortaram um sucesso maravilhoso da Zizi Possi, cantado pela única pessoa capaz de atingir as notas daquela maneira, a própria Lúcia, que cantava e mirava seu recém-amado narrador, apontando e puxando por uma corda invisível. Então foi a vez da esposa do prefeito, Dona Yolí vir conversar e apaziguar todo mundo, dando um pito em perfeito português no Secretário de Cultura que admitia a chegada dos milicos sem tratar antes com o Gabinete. O prefeito estava com os rabos entre as pernas lá atrás. Dona Yolí chamou o narrador de lado, ele e a mulher dona do karaokê, Lúcia interrompida e Laura estavam perto Escutem, vamos encerrar da melhor maneira possível, certo? O sarau estava lindo! Muito obrigado, Narrador e Dona Suelen. Para não ficar estranho, vamos deixar mais três pessoas cantarem ou declamarem.

Dona Yolí, o Coronel tá babando de raiva ali, ele 'tava num churrasco pelo jeito.

É, eu sei, e esse Secretário de Cultura, *por Dios! Me lo está chingando todo! Ay, perdón!*

O narrador sorriu para as duas, os policiais se afastaram, ele subiu, e como que retornando ao seu habitat natural, mais elevado, onisciente, mais consciencioso, e, sobretudo, muito compenetrado. As duas ficaram observando as pessoas da praça, que aos poucos resolveram prestar atenção, fizeram silêncio, e Laura se despediu de Lúcia dizendo que ia procurar em toda a praça, Procurar o quê, menina? Não é só uma brincadeira? Vou sair aí pela praça para ver se o Foguinho tá por aí.

E foi ver em cada rosto de homem que estivesse circulando naquele lugar, Pois eu sei que ele vai sair de onde for, para me ver! e saiu cuidadosamente andando, palmilhando a praça e as pessoas. O narrador limpou a garganta e fez novamente com sua voz potente Temos tempo para mais três pedidos, a Sarah vai cantar uma música no karaokê do Nirvana, Smells like teen spirit, é isso? Estou anotando aqui, e a Carolina vai subir com seu marido para dançar lambada, Beto Barbosa, Adocica, certo? Bem, tomo a liberdade de atender a outro pedido - um maluco estava gritando ao fundo - hãahã - limpou a garganta - a outro pedido, vou começar lendo este poema então de Carlos Drummond de Andrade, A falta que ama, alguém me disse aqui que vocês já escutaram o poema, isso é deveras peculiar, parece que estou me repetindo aqui. Se vocês já leram no capítulo anterior, podemos tranquilamente voltar algumas páginas e relê-lo com a entonação que nos convir. A injunção foi obedecida por todos os presentes, que se esforçaram por lembrar de todos os versos e estrofes, para que não houvesse o risco de se andar por aí repetindo um número inteiro no palco. Laura escutou perfeitamente os versos e estrofes, como se fosse a primeira vez. Enquanto isso, procurava nos rostos alguém desesperado, um amante desconcertado, contrito, expectante. Porém, ela não encontrou ninguém, continuou andando pela praça e ouviu o narrador distorcer por engano o que disse: "Este poema a Morena da Rua Chiquinha Gonzaga dedica ao Ruivo, a quem ela quer muito e para sempre e que voltou há pouco para a cidade.", alegrou-se, pois sabia que Rodolfo entenderia o desafio e viria o mais rápido que pudesse.

Ela me pediu para dizer ainda: "Vamos ver se você se lembra do desafio, Foguinho!"

Tendo rapidamente visto tudo e todos, os participantes - àquela altura da comemoração - estavam praticamente todos concentrados em torno do palco, Laura desesperou-se um pouco e ficou muito triste, chegou-se à melhor amiga e disse Agradeça ao narrador por mim, boa sorte com ele, Lúcia. Eu vou para casa! Esta a abraçou. A outra desvencilhou-se do abraço e foi embora para casa. Ao fundo da praça, um homem começava a andar em cima de um fio amarrado a duas árvores, parecia um pouco tardio para praticar esportes, ainda mais um tão perigoso, no escuro da noite e naquele frio, com muitas chances dos participantes estarem alcoolizados, a bem da verdade não havia muita gente tentando caminhar sobre o fio. Pensando era melhor estar alcoolizada. Se aproximou das pessoas reunidas em volta de um instrutor Tomem cuidado com o equilíbrio. Sem cerimônias, roubou o primeiro lugar da fila e com muita coragem e valor, sem temer o perigo da escuridão, olhou o outro tronco de árvore como se fosse um objetivo, mirou bem, o instrutor continuava gritando Sinta o equilíbrio do seu corpo e use a força das pernas O que estou fazendo aqui? ela refletia enquanto notava os olhares voltados para si, o pé se desequilibrando. Foi a primeira a se esborrachar no chão. A lateral do corpo doía um pouco, por sorte a queda foi amortecida pelos agasalhos que portava e que se recusara a retirar. No caminho definitivo para casa passou pelo banco onde o homem ruivo que lia Drummond estava. O homem parecia em transe ou em coma, tão pálido estava, e Laura quis ajuda-lo, passou a mão em seu cabelo muito vermelho, estava suando febril, mas ela não pensava em outra coisa a não ser Rodolfo. Passou pelo banco do homem em transe – É ruivo? Não, não, acho que é impressão minha... – atravessou a Avenida Copérnico ou Procópio e entrou pela rua de sua casa.

Entrou logo na sua casa, foi à sala, abriu a porta de vidro que dava para a varanda, passou à varanda, sem acender a luz da sala. Ficou ali observando a rua, desatou uma única e estranha lágrima, Por quê? mas limpando o rosto, sentiu-se melhor: Eis aí a emoção que eu queria sentir hoje! Logo estava sorrindo e espiando as pessoas ao longe, casais de namorados formados na festa, adolescente se beijando loucamente, atravessando a avenida à distância.

Quando o relógio estava próximo de indicar meia-noite e vinte e cinco Laura viu um vulto na rua, se aproximou do beiral e ficou ali olhando, esperando que fosse ele... O homem veio, andando em passos meio incertos - todavia esta personagem burlesca inspirava certo respeito - uma genuína mistura de bufão com pierrot. Triste e cômico ele veio, pausadamente, e quando estava quase em frente à sua casa, ela viu que era aquele bêbado calado da praça, pálido-febril-melancólico, carregava o livro do Drummond em uma das mãos e tentava recitar os versos do Poema Quinze de Neruda que fora declamado na praça.

Uncrânio! Uncrânio! Ela o escutou murmurar...

Voltou a despedir uma outra lágrima, pois ainda mais deprimente foi ver o outro atravessar a rua e vomitar muito, durante quase cinco minutos, na árvore em frente à casa do vizinho dela, e depois conversar por trinta minutos com o vegetal. Fumava enquanto via tal cena, e uma cinza de seu cigarro desastrosamente voou sobre a cabeça do homem. Laura pediu desculpas e perguntou o porquê de ele estar ainda na rua, e finalmente:

Por que você não volta para sua casa? Acho que você deveria dormir um pouquinho. O que o fez perder o sono e ficar na rua? Você está bem, moço?

O homem permaneceu resmungando, só parando por alguns segundos para gesticular com a árvore, continuou grunhindo,

Uncrânio!

Pelo menos ele está vivo!, disse para si. Deu-se conta de que tinha muito sono. Ficara olhando a rua por quase uma hora, esperando algum homem passar acenando e gritando "Laura! Laura!", Que ridículo! Era só uma brincadeira!

E então ela gritaria da varanda, gritaria, sairia pela porta de casa e abraçaria o Fogo, homem feito, porque agora na cabeça dela o menino que a acompanhou aquele dia na pescaria e em quem deu seu primeiro beijo, era então um homem feito, barbudo, alegre, sorridente, Mais bonito do que o Renato, o Marcelo, o Sérgio, sem dúvida! E aquele dia ela pegou mesmo sete, oito lambaris, ali naquele riozinho mesmo, porém ela ainda não morava naquela rua, não. Eles saíram para pescar de bicicleta, um pouco para dentro da mata. E não tinham medo não. Um era escoteiro, lobinho e tal, e a outra aprendeu a pescar e a temperar peixe com o avô, um velhinho cheio de história.

Sem dúvida é melhor ir dormir.

Contudo, já deitada à cama, sua mente demorou a repousar, observando o distante burburinho da madrugada, tinha a impressão de escutar as nuvens, não sabia como seria o som exatamente, chumaços de algodão se esfregando enormes no céu escuro, talvez fossem apenas os tecidos muito finos de algodão egípcio, mania de sua mãe, roçando-se suavemente naquela atmosfera de silêncio sonolento. Ela começou a repensar a lembrança Deixamos as bicicletas amarradas, ele tinha uma corrente super grossa e dois cadeados enormes. Eu disse, assim que ele me segurou num tropeção que dei, Foguinho, hoje você é meu anjo da guarda! e ele enrubesceu. Ficou sério, me ajudando o tempo todo. E lembro que depois me viu pescar em silêncio, pensando, matutando, mascando um chiclete a manhã toda, me olhou no fim e disse Laura, você é a pessoa mais legal que eu conheço.

Caderno de exercícios

Exercício 1

Meu pai não me mandou buscar o dinheiro com este tal Rodolfo. Mas eu vou, afinal o velho está lá na cama do hospital. Ataque do coração. Na verdade, eu não entendi direito o que ele tinha, pois o médico não soube me explicar, ou não quis, porém sou esperto o bastante para saber que, nestes ataques, não é o coração o agressor, mas o agredido. Então o ataque seria do coração?

Bom... Tenho pensado demais nessas coisas, e na morte e em dinheiro. Meu pai disse A última vez que eu vi Rodolfo, estaba durmiendo junto a las raíces de aquel árbol frente ao prédio y eu o acordei, peguei sus roupas y lo levei al hospital. Ele não quer que eu cobre esse sujeito. Soube da existência de sua existência quando o paraguaio falou dos negócios - Todo va muy bien! - os aluguéis pagos e um único aluguel não pago, Qual é, pai? Deixa p'a lá, m'hijo, Pai, por favor, me deixa te ajudar, Él se chama 'Rodolfo', O do térreo? Si si, m'hijo... Pero deixa p'ra lá.

Fui chamado às pressas depois do ataque do meu pai, David Bruní, para cuidar dele e para conduzir seus poucos negócios. O paraguaio ficou pedindo desculpas; meu pai é assim às vezes...

Ao contrário dele, eu não sou paraguaio, sou daqui mesmo, as palabras que conozco en español se misturaran con otras palavras en português. De resto, falo e penso como brasileiro, na minha opinião. Meu pai sofreu o ataque faz três dias, eu entrei na faculdade faz três meses. Só dezessete anos. Sos um niño todavia! Meu pai ficou tão feliz, me recomendou esperar um pouco para entrar no mercado de trabalho, Estudiar es más importante, nada de ser motorista como eu, Qual é o problema de ser motorista, pai? No, tudo menos isso!

Agora eu vou atrás deste cara, ah! eu vou mesmo, para ajudá-lo, não sei, afinal ele fez tanto por mim... O velho falou desta árvore na calçada, que o cara ficou bêbado e dessangrou em cima dela, que ele ficou horas deitado ali, com o tornozelo torcido e passou um tempo no hospital. Me lembro bem desta árvore, bonita, grande, me lembrei dela desde o momento em que meu pai a mencionou, apesar de morar com uma prima da minha mãe faz quatro anos: "David, seu filho precisa de disciplina e não de bebida!" ela lhe disse e me levou de sua casa.

Manuel, *hijo*, não perturbe Rodolfo... Seu olho não marejava, mas sua voz estava estremecida, como se houvesse algum tipo de afeto entre os dois, e eu fosse apenas me intrometer e sacudir algo inquebrantável, porém eu sou o filho. Eu!

Pai, você está aqui sem poder cobrar os aluguéis! O senhor é ou não é o dono do prédio!? Eu posso ajudá-lo... Mas filho, ele é um *hombre* tão triste, Pai, sei que você gosta dele, mas ele deve lhe pagar, não é mesmo? As coisas não são tão simples, *m'hijo*

Agora eu estou observando o tronco, a copa, em frente a esse treco enorme, meu pai fala como se fosse alguma máquina, ele contou a história do inquilino como se o rapaz fosse algum operário dormindo em cima de uma máquina, ela está aí gigantesca, frondosa, ainda é o fim do verão tropical... No chão existem marcas de sangue, muito sangue, na rua também, embora somente um rastro, também na calçada em frente à entrada do prédio, acho que ninguém se lembrou de lavar. Aqui, entre as raízes possantes há muito mais todavia, uma mancha seca, coagulada, escurecida em poças irregulares. Não posso me esquecer de levar uma lata de cerveja escondida a meu pai, ele pediu. Dentro da roupa, dentro do casaco cabe até duas latinhas, vou comprar algo especial. O cigarro já foi exagero dele, não concordei...

Pai, a cerveja eu trago, tudo bem? Mas só depois que você for para o quarto, não adianta nada trazer agora, como você vai tomar? *M'hijo* pensei em tomar de madrugada *Pero que tenés en la cabeza, papi, estás loco?* He he he tan novo y já cuidando de mim... Pai, me escuta, depois que acabar a internação de urgência, Filho, as enfermeiras nem ligam para nós, ontem aquele senhor ali do canto – 'tá vendo aquele? – se borrou na maca mesmo, se cagou todo, Pai, me escuta, tem a interação com os remédios, eles estavam me explicando, *olvidáte*, ok? Primeiro vou atrás do teu dinheiro.

Ele vai se recuperar, é um cara forte... Meu pai ainda disse coisas sobre o Paraguai, metade em guarani, não entendi quase nada, foi antes de dormir na cama do hospital, estava tão abatido, esbranquiçado, delirando levemente e murmurando.

Nosotros não somos filhos *de los españoles*, Manuel.

No? Pero e toda aquela história que o titio contava, sobre o tatara-tataravô amigo do Supremo o *Karayguasú?*

Isso é besteira. Eram guaranis, antes disso guaranis e antes disso estava a primeira manifestação da vida, as moléculas primordiais – meu pai às vezes me sai com uma citações eruditas não sei donde.

Besteira? Tudo? E o sobrenome "Bruní"?

Oye, Manú, sou filho *de los* índios, compreende? Só existe uma raiz do meu lado da família, que é lá no Chaco... *Tu mamá* aí já não conheço direito.

Pero... Agora somos brasileiros...

Somos o que quisermos...

Entrei no prédio, tudo está bem, as pessoas querem saber do velho, digo Está bem! Está bem! Vai praticar esportes além de beber cerveja, eu espero... Por aqui, tudo em ordem, todos lhe pagaram, menos este operário que dorme em cima da engrenagem. Maldito Rodolfo. Onde eu vou encontrar este cara? Se estiver no quarto, ah! se estiver no quarto, eu cobro, falo alto e empurro, se for preciso. Eu sou meio assim, quero dizer, espero ser, se necessário. Me peguei pensando nesta cidade aqui, Itá Anhangá. Muitas cidades são deste jeito: se estão perto do litoral, tudo lhes vem de fora, das capitais e dos mares, estas cidades são estratégicas, perigosas passagens de vários mundos, são cidades que em troca do que são, dão tudo que tem, lugares que valem a pena tomar: Rio de Janeiro, Salvador, Nova Iorque, Buenos Aires; cidades que existem de verdade e não se escondem atrás da névoa e das tempestades de Sol e areia; se estão longe do litoral, costumam ser mais pacatas, como esconderijos. Elas demoram a tomar conta do espaço e depois parecem agarrar a tudo em volta, paulatinamente. Penso nisso às vezes sem perceber. Penso. Penso. Itá Anhangá é caipira, mas não é, quero dizer, ela está tentando se livrar disso. "Cidade dos novíssimos começos", Há! Há! Há! Assunção é a única cidade que conheci, mãe de cidades, ainda bem pequenininho, meu bisavô, que enterrou o filho, estava muito triste aquele dia, me pegou no colo, me ofereceu o mate, sorriu devagarinho e sussurrou Porã e essa eu conhecia Bonito. Depois o velhinho me abraçou, não me lembro de mais nada. Um funeral de meu avô. O resto do país só conheci por fotos, meu pai disse que a capital está longe do litoral.

Por que destruímos o Paraguai?

Meu tataravô lutou na Guerra da Tríplice Aliança, ou o pai dele, sei lá?

Sí, m'hijo! Pero él tampoco era espanhol nem nada. Era só paraguaio.

Como assim "só paraguaio"? Era paraguaio e basta!

M'hijo, preciso dormir um pouco, que engraçado sos!

Preciso de pistas para encontrar este tal Rodolfo. Por que continuo olhando de vez em quando em direção à árvore, procurando-a no meu mapa mental, como quem reza a Meca? Até parece que ela vai falar, sua engrenagem voltará a funcionar depois de azeitar-se com o sangue do inquilino. Porém ela não me disse nada e ninguém tampouco – Não sei onde ele está! ou Quem é Rodolfo? ou Ah! Então o rapazinho ruivo se chama 'Rodolfo'?! – enfim... Ele é ruivo e alto, isso eu já sabia pelo meu pai. No quarto talvez haja alguma coisa.

Este molho de chaves do meu pai é imenso! Deve ser esta, não... Me deixe ver esta aqui...

Pronto! O apartamento é realmente minúsculo: o quarto, a cozinha, o banheiro, uma bagunça! Tem pequenas manchas descuidadas de sangue na cozinha, na cama e na cadeira: o sangue na rua deve ser dele provavelmente... Uma garrafa de vinho vazia na mesa, também cartas para uma Laura Jardim, cartas de Laura Jardim para Rodolfo, o Inquilino Devedor, todas elas em folhas um pouco velhas e com letras de criança... "Querida Laura, hoje fomos conhecer o zoológico da capital e fiquei com muito medo do leão... Comemos peixe empanado e me lembrei de você ... Minha mãe está mandando um beijo." Também há um poema que parece ter sido escrito há pouco tempo, em papel branco, poema pequeno que não me desagrada de todo, sem título, mas com uma dedicatória escrita simplesmente, no alto da folha, centralizada: "Para Laura"

Falamos fogo um ao outro
Meu pensamento lambe sua lembrança
Qual labareda a queimar uma casa
E eis que se realiza, se materializa
Transtornada pela minha teimosia
Laura, minha musa desavisada

A mulher mais distraída
Aquela que mais existe
É aquela que eu procuro
Há anos.

Falamos fogo um ao outro
Imagino seus pesadelos mais cruéis
Qual labareda a queimar uma casa
E eis que eu volto galante, e a vejo
Transtornada pela minha teimosia
Então se desequilibra e tropeça
Laura, minha musa desavisada

A mulher mais distraída

Pareceu inacabado, mesmo assim eu o guardei, porque vou entrega-lo para a tal Laura Jardim? Não mesmo, preciso garantir que esse sujeito vá pagar meu pai sempre em dia daqui para a frente. O velho tentou me explicar que o pai dele o ajuda às vezes quando falta grana. De todos os modos, decidi sequestrar a poesia, quão ordinário pode ser a minha atitude? Me deu até vontade de enviar em meu nome próprio, certamente o farei se por acaso ficarmos sem o nosso dinheiro. Existe algo de muito honesto no que está escrito, "Falamos fogo um ao outro" e por que não "Nos dizemos fogo reciprocamente"? E depois chamá-la de "distraída" pode ser um pouco desajeitado, muito desajeitado, vou corrigir imediatamente a frase, ali tem um lápis A mulher mais atraente ficou muito melhor! Vamos reexaminar este quarto: cama desarrumada, uma calça de malha, tênis no chão, meias, papéis, livros, copos no chão e pratos quebrados. Uma coisa é a cidade estar uma bagunça ainda, pois a festa de aniversário de Itá Anhangá ocorreu há quatro dias, mas este quarto francamente... Impossível recompor o dia-a-dia deste talzinho, muita bagunça em tão pouco espaço. Não o conheço e já o odeio. É o quarto de alguém gritando por socorro, precisando de uma visita, um amigo mais sincero. É horrível viver aqui com certeza, e não estou me referindo ao tamanho do apartamento, obviamente. Quem vive asfixiado como este cara não consegue amar, perde o contato com o mundo, fica olhando o teto como se fosse um espelho, e escrevendo poemas ruins para mulheres como Laura Jardim. Daí sem dúvida essa frase ridícula "A mulher mais distraída". É impossível respirar aqui dentro, preciso de mais ar, onde fica a janela?

Consegui!

Uma vista linda! A árvore vista daqui é linda! Quantas vezes meu pai não me trouxe pela mão nessa rua para visitar seu parente na cidade. Ela tem a base implacável e dura, com raízes que parecem de bronze ou de chumbo, o tronco espesso e forte e maciço, de material tão duro e antigo quanto o das raízes, só que mais escuro... faz sentido isso? Meu pai apontava com o dedo cada coisa, cada detalhe naquela época, estava aprendendo as palavras do português definitivamente, tinha metido na cabeça de ficar aqui, se convencido finalmente. Comigo andava admirando bichos e flores, sabendo nomes pela primeira vez ao mesmo tempo que eu, dizia *Mirá, m'hijo!* Tudo na parte de baixo contrasta com a copa verde viva, movida pelo vento mais suave, apesar da coroa grandiosa pesada, linda, ela é flexível, de galhos galhardos, galgos velozes engastados no tronco, ele falava como se inventasse poesia ali ao vivo. Então esta é a famosa árvore onde alguém deitou o corpo e deitou sangue, alguém... Monstro moedor de carnes humanas. Quem era mesmo? Esqueci o que eu estava procurando por aqui, esta árvore é tão imponente, dura e movente, cheia de espírito e de seiva, e de casca dura e fungo sujo (o que eu queria aqui?). Onde eu estava mesmo? Há um ponto inexplorado do quarto, lá fora, mas a hora não é mais tão boa para ficar aqui, porque preciso resolver umas coisas no centro da cidade para o velho, pagar umas contas na casa lotérica, porque meu pai só confia em pagamento feito perante um ser humano. Preciso trocar um par de sapatos que lhe dei de aniversário. Nada de valor por aqui. Vou levando a poesia de qualquer jeito, caso ele pergunte, direi Estou com sua poesia, sim! Levei embora e mudei tudo!

Acho que para um poeta não deve haver coisa pior do que ter um texto modificado sem o seu consentimento. Pois tal será minha vingança! Quando voltar à casa hoje à noite, então, pretendo me sentar tranquilamente, reler o poema e modificá-lo completamente, torturá-lo com sadismo, fazê-lo dizer o contrário. Será a nossa garantia contra futuros atrasos no pagamento, que coisa maluca Escuta, se você não me pagar logo, vou destruir uma das rimas do teu poema. Minhas aulas para o vestibular ainda estão muito frescas na memória, posso fazer miséria neste pedaço de papel!

A beleza salvará o mundo!

Agora tenho quase certeza de que a árvore estava tentando dizer algo, porque queria me ajudar, exatamente a partir daquele quando, no qual tive a noção completa da árvore linda, do ponto absolutamente inexplorado. Meu pai talvez tenha razão: não foi boa ideia vir me meter na vida desse cara; não consigo parar de pensar na boa relação entre ele e meu velho, uma relação que eu mesmo já não tenho com ele; depois fiquei sabendo da revolução intelectual na vida dele, o que explica as pilhas e mais pilhas de livros e anotações, no meio de desenhos, exercícios de desenhos e um computador que parece bastante potente. Por que uma pessoa dessa, com uma carreira promissora como a de um engenheiro - meu pai me falou sobre seu curso na faculdade - por que ele começou a se meter com poesia? A chave era esta aqui mesmo, perfeito! Depois volto com calma, a ver se há algum dinheiro ou joias que possamos revender... "galhos galhardos, galgos velozes engastados", de onde meu pai tirou isso? De repente vendo esse livros todos.

Exercício 2

Quantas vezes eu menti antes de dizer algo que valesse a pena. Sim. Eu sou o narrador. Lúcia casou-se ontem à tarde com um famosos diretor da Companhia dos Latões. Está grávida, pensa muito em se mudar para outra cidade, começar tudo do zero. Passaram duas semanas discutindo o nome da bebê: Melissa, Ana, Catarina, Vitória, Samara, Leandra. É um suplício participar de cada uma de suas discussões, mas minha vida tem sido assim. Seja lá o ponto de vista que assuma, é imperioso admitir sua felicidade, ou pelo menos satisfação, a depender do conceito de felicidade de cada um. Me lembro bem, como se fosse hoje, do dia em que eles se conheceram. Ela estava fazendo um teste – recém-formada na faculdade – para um papel em uma peça de Tchekov, não me lembro qual, porque de certo modo tenho o poder de controlar integralmente minha memória. O diretor, um homem experiente e competente, o que era exalado pelo olhar fixo no texto e no palco, possibilitado pelo leve estrabismo que fazia com que seu olhar andasse vagamente entre as luzes do proscênio e os pontos minúsculos do papel. Ele demorou um pouco para notar seu corpo, foi depois do gesto de fogo. Então ele testemunhou aquelas pernas bem torneadas, coxas de ciclista, ele pensou e nem se deu conta de que pensava em homens, para ele francamente pouco importava, viu nas telas escuras de sua mente bundas peludas encaixadas, coxas grandes, médias e pequenas, juras de amor em torno de membros eretos ou vaginas entremeadas a pernas delicadas, unhas pintadas, bocas com batom, imaginou as mãos de Lúcia, em especial seu indicador ou polegar, vindo *impromptu* enfiar-se em seu cu suado, um dedo fino e suave. *Mamma mia!* Por que uma pessoa pensa isso daquela que viria a ser a sua esposa? Como é possível que ele não tenha esquecido dessa primeira impressão? Estou em choque. Depois imaginou a sua língua passando entre os dois dedos maiores do pé dela. Oi? Me lembro de ter pensado exatamente assim, enquanto presenciava a cena. É um homem sem delicadeza nenhuma. Alguém pode se perguntar "Por que você não antecipou todos os desejos dela, para você é mais fácil do que para qualquer outro se conquistar alguém?"

Explicarei rapidamente como a narração funciona, pelo menos desde o meu ponto de vista, de narrador. Sou capaz de saber tudo, posso assumir qualquer ponto de vista: discurso interno direto, indireto, livre, uso travessões, aspas, pontos de reticências. Posso enquadrar o que ocorre em uma mente, uma cidade, um planeta, uma boca-de-lobo, uma floresta, abarcar um átimo, um minuto, um gesto, uma reação, um momento, antropomorfizar uma abelha, uma árvore. Só não consigo enxergar o futuro, a não ser que ele seja um plano pensado anteriormente. Muitas vezes, e ninguém me deixará mentir, as pessoas não agem de acordo com seus projetos. Amiúde elas fazem coisas que contrariam seus interesses, em nome do quê? Da pátria, do amor, da alteridade e humanismo universal. Personagens são contraditórios por definição, não andam em uma linha reta, por vezes não desconfiam de suas próprias intenções, como que recalcadas ou afirmadas pela negação. Eu sou o quê? Sou o assecla dessa gente balançada como uma folha seca na tempestade. Eu sei tudo o que acontece e sei porque aconteceu, nunca o futuro. Lúcia manteve comigo um contato frequente, entre ligações telefônicas e encontros, beijos ardentes, jantares, durante oito meses, tempo de oficializar tudo, e foi quando nos tornamos namorados e assim ficamos. Ela vinha me visitar nos fins de semana, ainda não quis morar comigo, questão de noivar ou casar, pois sua família era religiosa o suficiente para se incomodar com a situação. Fazia teste para cima e para baixo, até que calhou de a Companhia dos Latões abrir uma vaga para uma personagem menor, num drama de Tchekov, acho que já disse isso, em Itá Anhangá. Obviamente tive e tenho muito trabalho todures: rádio, televisão, literatura, gibi, não existem limites para minha demanda. Eventualmente acompanhei por curiosidade o teste, dado ter um pressentimento.

Enquanto lia seu texto, fez então um gesto longo com a mão direita, subindo como uma fagulha e descendo como uma cinza, o diretor pensou. Pediu para que ela repetisse a fala. Ela tampouco notara o sujeito até que ele pedisse uma releitura de certa parte do texto e então se conteve, ela também teve o pressentimento e conhecia minhas capacidades, por isso evitou pensar que sua boca salivara mirando os lábios perfeitamente carnudos e rosados naquele rosto com uma barba por fazer há três dias, era igualzinho ao rosto de um colega seu de graduação, alto e espadaúdo e tinha uma pica, meu deus, parecia um câmbio de carro! Era meu suplício observar e estar ali, fazer o quê?

Mas se ela se casasse, nunca mais narraria nada, arranjassem outro papagaio falante. Ontem, às 7 da manhã, Lúcia levantou-se feliz, pois se casaria. Pelo menos há dois anos que ela não pensava em mim. Houve aquela festa de aniversário da cidade de Itá Anhangá, a qual conduzi, e ali conheci Lúcia, luz da minha vida. Porque resolvi ler uns quatro poemas, embora tenha lido somente três, e abri o microfone para que o público fizesse o mesmo, a Prefeitura foi processada e multada pelo Ministério Público, que tinha relações escusas com o tal Secretário da Cultura. Nunca mais fui chamado para conduzir os festejos naquela cidade e em qualquer cidade das redondezas. Desde que nos separamos, nunca mais vi Lúcia, mas continuo mentindo por sua causa. Não tenha ciúme, leitor, eu também minto por sua causa. Eu que influencio as pessoas para que pensem que você está bem, para que te perdoem Imagina, o leitor é assim mesmo, está nervoso ou com raiva ou com medo. Voltando ao meu tormento final, Lúcia acordou feliz, às 7 da manhã, ontem. Vestiu-se para o café da manhã e refletiu muito sobre o próprio casamento, não pensou em mim. A mesa estava pronta; sua mãe, sorriso; seu pai, taciturno. Quanto mais eu olho os homens, mais coisas descubro. Este homem, o pai dela, é uma pessoa interessante: comerciante, meia idade, filho e herdeiro de comerciante, um homem que não se fez por si, típico.

No momento do café da manhã, ia taciturno, pois sabia que sua filha querida sairia da casa querida, sabia que se casaria forçosamente naquela tarde e - desconfiava - que ela não seria feliz com o futuro marido, parasita, comensal, simbionte. Palavras dele, quero dizer, dentro da mente dele. Ele sabia assim como eu. Ele sabia. Mesmo assim, Lúcia tomou o café exultante, rindo, desrespeitando os prognósticos. Não pensou em mim, ora veja, não pensou em outra coisa, inclusive não falava de outra coisa senão do próprio casamento. Não pensou em mim, repito... Sua amiga veio assisti-la nos preparativos da festa. Era aquela Laura Jardim, a melhor amiga e a madrinha do casamento. O padrinho estava naquele momento muito longe: tomando uma cerveja e comendo uma coxinha num boteco do centro da cidade, a madrinha não sabia, mas ele havia dormido fora depois de uma festa entre amigos.

Se ela consumar seu ato, eu juro que vou desaparecer! Lúcia brilhava, gesticulava - O casamento é daqui a cinco horas, Laura, me ajude! - e pedia e reclamava. Sobretudo sorria. Eu sou o narrador, a consciência da história absoluta, sou eu quem toca, cheira, beija, ouve, pensa tudo, e realmente não entendo como pôde se casar. Aposto que foi tudo uma armação contra mim, não, um arranjo de sua mãe contra Lúcia. Aposto, tenho quase certeza, quero dizer: foi tudo arranjado! E só agora é que eu percebi e compreendi isto. E, de fato, houve casamento, e eu não fui envolvido como noivo, por mais difícil que seja admiti-lo. Só pensava que se ela casasse, nunca mais faria nada, não mais invadiria cabeça nenhuma. Não podia acreditar naquilo, depois de toda a admiração que sentiu por mim, depois de tudo. A partir de certo ponto da festa, como se estivesse alcoolizado, deixei de ver nitidamente as pessoas, as vozes e me encerrei dentro de mim mesmo. O que há dentro dos narradores? Pensava somente nisso ontem, depois de certo ponto. Não há nada dentro de nós, um vazio ardente prestes a eclodir, o silêncio estrutural da língua. É o som de um farfalhar e roçar, como um pássaro da noite empoleirado sem que se veja seu corpo, no meio da escuridão. Não podia participar daquilo. Arranjem outro! Quem poderia ter dito "Sim!" para Lúcia no altar?

De fato, eu me lembro de alguém ou algo... Eu sou o narrador, eu sei que alguém se casou com Lúcia ontem à tarde, mas não o vejo, não posso vê-lo, não quero vê-lo. Ele não existe. Somos só eu e Lúcia nesta história, e alguns coadjuvantes sem nome, exceto por Laura. Se ninguém se casou com ela ontem, com ninguém passou o resto do dia e com ninguém esteve na noite de núpcias. Agora está vazio aqui, minha memória não possui escamas próprias, sou uma serpente que voa sem corpo para lá e para cá, esperando um único desejo, seu maior anseio: desaparecer.

Exercício 3

para minha mãe

Só pode estar doente. Assim como anda calado, imóvel, irreconhecível, intocável e intocado. Meu filhinho... está há 15 dias assistindo filmes da Audrey Hepburn, colecionando fotos da Audrey Hepburn, ouvindo sua música, falando dela e falando com ela. Ai, caramba! Eu disse para o meu marido que esta cidade faz mal para as pessoas jovens, em Itá Anhangá entretenimento não haverá, eu disse. O menino trabalhava a semana inteira e não tinha um companheiro, só os colegas do trabalho, rapazes tímidos e fissurados em diversões eletrônicas, prestes a se transformarem em encostos de cadeiras suadas, parece que toda sala com videogame tem o mesmo cheiro e aspecto de uma lan house, credo!

Falta contato humano, querido, nosso filho tinha um monte de amigos, saía para jogar basquete, até aquele tal de RPG é melhor do que isso... Mas agora...

Esta cidade é o futuro, amor - ele respondeu, fazendo uma referência velada ao lema da cidade, "dos novíssimos começos".

E meu filho - antes de se trancar no quarto - brincava Você já foi a Itá Anhangá? Ainda não? Então não vá! E depois ria sozinho pela casa. A culpa é da cidade, meu coração de mãe sabe disso. As cidades mexem com a cabeça das pessoas! Modificam o humor, a alma, eu me lembro do filho de uma prima, que foi morar em Joanesburgo e começou a dividir a casa em ghettos. Mas ninguém liga para um coração de mãe. Ninguém me ouve, só eu mesma sozinha presto atenção aos meus pensamentos. E presto atenção neste filho imprestável, que só sai do quarto para tomar banho e para comer. No começo, ele me disse que queria estudar cinema e achava essencial assistir aos filmes da Audrey Hepburn várias vezes, e sozinho. Não desconfiei de nada, só recomendei que não faltasse ao trabalho... Quando alguém em consciência sã imaginaria tal desgraça? Um filho trabalhador, jovem, inteligente, bonito, que de repente se tranca no quarto com filmes de uma estrela de cinema dos anos 50 e 60, se apaixona por uma atriz morta há mais de dez anos, e passa a colecionar fotos, músicas, diálogos com esta mulher? Algum consolo me veio na semana passada, quando meu filhote começou a falar da Luana Piovani também. Ele começou a se lembrar de algumas novelas e séries das quais ela participou, e já assistiu a "O Homem que Copiava" pelo menos umas trinta vezes desde a semana passada. Assim é melhor, né? Esta menina está vivinha e me agrada também, fiz questão de lhe dizer. É difícil intervir na vida dos filhos, mas eu continuo tentando. Por exemplo, se aproximar minha orelha da porta do quarto dele, poderei ouvi-lo conversar com sua Audrey Hepburn ou com a outra - a Luana Piovani -, dizendo coisas doces, oferecendo-se em casamento ou qualquer coisa do tipo. Ouçamos...

- Audrey, não se case com o milionário, nem com o escritor, querida, eles não te merecem. Você aceitaria casar com um técnico em computação?

Ah... de novo não! Meu filhinho querido está pedindo a bruxa em casamento novamente. É amor platônico que se chama, ao menos um psicólogo amigo do meu marido disse. E amor platônico é o que exatamente? "É apego a uma ideia, afeto positivo por uma imagem, amor por uma representação mental da realidade". Esse psicólogo até parecia o dicionário das minhas tristezas. Será que todo psicólogo é assim? Tenho um irmão médico que só fala em doença; a esposa dele é desenhista e também só fala em miséria, falta de incentivo; meu marido é arquiteto - coitado! - e só fala em falta de cliente ou em falta de planejamento. O que eu tenho a ver com tudo isso, se eu não sou um dicionário de antídotos?

Meu irmão veio para esta cidade por uns dias, vai ficar num hotel bom... Mas nem ele, que é médico, garantiu a cura do menino... Maninha, eu não vim aqui para curar seu filho, vim para ajudá-lo a se curar sozinho. Minha vida também é um entorpecimento só, aliás, minha vida é um manualzinho de drogas, tem as boas e tem as más, a distinção não importa. De qualquer maneira, eu nunca sei diferenciá-las e sempre acabo exagerando na dose. Não sou psicanalista nem psiquiatra, entendeu? Vou fazer o meu melhor, com aquilo de que me lembrar, do pouco de psiquiatria que eu aprendi na faculdade... (Grande ajuda, hein?...)

Não fala assim, ele vai sair dessa, eu sei. Mas o coitado está lá no quarto há 15 dias, maldita hora em que fizemos uma suíte para o menino, com uma banheira de hidromassagem maior do que uma jacuzzi. Veja você: perdeu o emprego, perdeu uma namorada, perdeu os colegas tímidos do trabalho. Ninguém veio me explicar como isso começa, nem o que uma mãe deve fazer. Se fosse outro vício, o trancaria no quarto e daria a comida pela janela - mas o que eu estou falando?! Na primeira semana, eu realmente fiz isso, joguei fora algumas fotos, revistas da Audrey que ele tinha no quarto, só não pude jogar fora a TV, seria coisa de maluco, né?, nem o videocassete, pois ele achou um usado com tanto esforço, seria injusto..., nem o computador, pois é material de trabalho, nem as fitas e DVD's, ou aquele bloco preto cheio de memória, onde ele grava tudo, tudo, foto, vídeo, música: ai, meu Deus, será que eu fiz a coisa certa? Mas a coleção era grande demais - muitas fotos e revistas estavam escondidas - e, desde a semana passada, ela só cresce. Acho que o garoto tem quase tantas fotos da Piovani quanto da Audrey. Eu não vou mexer mais nessas fotos e músicas, achei até bom ele encontrar esta Luana Piovani, quem disse que amor platônico deve ser monogâmico? Pelo menos eu tenho uma nora que está viva e, pelo menos, ele tem uma amante para se divertir...

E ele trai sem peso na consciência, vai lá, filhão! – é o tipo de coisa que meu marido fala para incentivar o menino, nas poucas vezes em que ele vem jantar conosco.

- Luana, você me ama ainda? Quero dizer, mesmo sabendo do meu relacionamento com a Audrey? - quando ouço esse tipo de conversa quase tiro sangue das mãos com minhas próprias de tanto que cerro o punho. Tenho vontade de esmurrar a parede, sacudir o moleque, trazê-lo de volta à realidade. Então me lembro de minha juventude, com recortes de revista, suspirando no cinema, sentindo minha calcinha umedecida sem querer, quando um professor que nunca me notara antes me dizia Boa tarde! pela primeira vez. É revoltante, mas uma vida é assim cheia de fantasia e entretenimento. Infelizmente o sofrimento também nos entretém e nos faz sonhar, sonhar com a liberação da dor, com a sua diminuição, ou com a resignação.

- Não?! Mas eu queria tanto casar com você, Luana, você quer casar comigo?

Ah, garoto bitolado, fixado em casamento, porra! Para que casar, hein? Para que casar? Mãe?! Você estava ouvindo tudo? Moleque, sai já deste quarto, sai e eu vou te dar umas palmadas, você vai ver, nunca vi isso, uma pessoa tão tímida, o que aconteceu com sua namorada? Ela não aceita meu amor pela Audrey, mãe!

Mas não posso bater nele, é grande demais – ai! eu preciso de um copo de água, ou de assistir a um pouco de TV, ai! Ai! – e, além do mais, eu não sei bater em filho, nunca precisei. E só sei bater em barata, gosto muito de fazer um baratinha sofrer, o sonzinho delicioso de casca rachando, as tripas do inseto saindo pelos lados, por cima, por baixo. Se tivesse uma barata em casa – e não um filho – eu resolveria meu problema num segundo: é só pisar e limpar.

*

Naquele dia o médico veio com seu manualzinho de drogas e entrou no quarto para conversar com o meu menino. Eu fui proibida de entrar no quarto por todos, Fará mal ao garoto, mas o meu irmão foi lá e ficou muito animado com a arrumação do quarto e a limpeza - Tudo em ordem! - também aprovou a vista do quarto - A cidade até parece bonita vista da janela do quarto - Itá Anhangá bonita? Itá Anhangá é, no máximo, simpática, uma cidade eficiente. Amontoado de concreto e de caipiras. Cadê meu filho?
Naquele dia, os dois assistiram juntos, pela ducentésima vez, ao "Bonequinha de Luxo" e meu irmão riu muito ao contar como meu filho conversava com Audrey Hepburn num linguajar íntimo e até chulo, inclusive fazendo piadinhas sobre o nome do filme traduzido. Este rapaz só pode estar doente. Eu criei um porco, fútil e grosseiro. Calma, calma, a culpa não é só minha. Cadê o pai? Ele deveria estar aqui já, porque precisamos decidir o lugar aonde levaremos as pessoas convidadas para o aniversário da minha filha. Acho a ideia do restaurante boa. Mas esta cidade tem poucos restaurantes bons e baratos. Neste ponto Itá Anhangá é como qualquer cidade. Não posso nem imaginar fazer a festa nesta casa - que vergonha!   Esse meu irmão é meio avoado, médico relapso. Hoje ele trouxe para o meu filho "O Homem que Copiava" numa edição em DVD assinada pelo diretor. Se não fosse pela nova aquisição, aposto que ele já teria se cansado da amante. Perguntei como ele teve o azar de trazer exatamente um filme com a Luana Piovani, Bom... Eu não sabia que ele tinha amante e tudo, ninguém comentou nada e eu achei que ele só via os mesmos filmes. Quem sabe se com um pouco de variação, ele não larga da Audrey - e ela fica livre de novo, E as fotos na parede, Tomas?! Você não prestou atenção? Olha, maninha, eu nem reconheci... Mas agora que você mencionou a Luana Piovani...

Salve-se quem puder. Está trancado vendo o filme trazido pelo tio. Eu não vou resistir, não, não aguento mais, abrirei a porta para falar umas verdades para este menino. Não vou deixar meu filho desperdiçar a sua própria vida. Dia desses, perguntei o que ele fazia tanto no quarto, ele me respondeu - Conversamos muito, falamos de preferências, política, arte, até de computador, mas a Audrey não entende muito do assunto, acabo conversando mais com a Luana... Não precisamos de contato físico para sermos íntimos de alguém, mamãe, você nunca vai entender. Meu cunhado estava por perto e emendou quase sem segurar o riso E sexo?

- Ah, tio, a gente faz amor sempre, mas só com a luz apagada... - como ele é simplório o menino, e indefeso.

- E como é? - ele interrompeu

- Bom, com a mão direita eu pego...

- Você se masturba! - ele interrompeu e eu fiquei ruborizada (ai, que vergonha!)

- A gente faz amor, tio, sem contato direto, eu uso a imaginação, se você parar para pensar, tio, todo mundo faz a mesma coisa. Sexo para mim está na cabeça... Você sabia que existem pessoas que não gostam de fazer sexo, que não sentem atração por ninguém, nem homem, nem mulher, nem ninguém? - talvez meu filho tenha um pouco de razão.

*

A festa no restaurante foi um sucesso! Meu irmão ficou em casa cuidando do meu filho e eu pude fazer o aniversário da minha filha sem me preocupar. Só estou achando meio estranho o fato de meu irmão estar discutindo com meu filho, trancados no quarto. Mas já, já, os dois vão parar e se abraçar, eles se adoram. Ontem, antes da festa, meu filho saiu do quarto para comer, está corado, engordou um pouco, me perguntou se eu aprovo o casório dele com a Audrey Hepburn, tem cabimento? O que eu poderia ter dito? Disse Sim. Ora, por que não? Case-se, case-se, filhinho.

- E com a Luana? – ele mandou à queima roupa – Vá e case-se com toda a pompa, rapaz. Mas por que não namorar, meu filho?

- Ah, mãe, eu quero coisa mais séria: festa, padre, padrinho, madrinha, a música, as alianças, o terno, e depois a lua-de-mel, os filhos. Você sabe, mãe, eu sou uma pessoa que se apega fácil a certos valores tradicionais, como o amor. Eu não sei de mais nada, eu quero a minha mãe, meu Deus! E ainda quero saber por que meu irmão está trancado no quarto com meu filho, e por que eles estão discutindo e por que a esposa do meu irmão foi embora sem ele. Bom, não custa nada ouvir, um minuto, à porta do quarto. Parece que estão se estapeando e o menino pode tomar jeito assim, espero, será que com briga meu filhote sai desta?... Eles não param de brigar, de gritar um com o outro: uma zorra! Não estou entendendo...

- Você não pode ter tudo!

- Mas ela é minha!

- E a Luana?

- É minha!

- Você é infiel, é desleal, você não merece a Audrey, ela quer um homem melhor!

- Tio, o senhor está ficando louco! Eu pensei primeiro nela, tio.

- Eu já pensava nela desde a primeira vez em que eu vi "Sabrina".

- Tio, eu penso nela a todo momento...

- E a Luana?

- Eu penso nela também! As duas são minhas...

Estes gritos assustadores, no meio de empurrões e lágrimas, não sei o que fazer. Mas, de qualquer maneira, acho absurdo tirar a Audrey do meu bebê, pobrezinho, e todo mundo sabe que ela está apaixonada pelo meu bebê, quero dizer, pelo menos eu tenho esta impressão. Não entendo o que está acontecendo com essa geração. Como estas coisas ocorrem? Um dia seu filho não tem ninguém, e no outro dia ele está apaixonado pela Audrey Hepburn e pela Luana Piovani. Meu irmão não sabe o que está falando, pois, se ele pensa na Audrey desde "Sabrina", eu também penso no James Dean, no Sean Connery e no Norton Nascimento há algum tempo. Então eu também posso estar doente?

*

Este ambiente intoxicou meu filho, que vem usando duas alianças no anelar, compradas com o dinheiro do Fundo de Garantia. Meu irmão desistiu rápido da contenda, após uns tapas e socos aplicados cirurgicamente no nariz e no estômago. Pelo menos, meu irmão não perdeu a mulher ou o emprego. Sua mulher agora está grávida. No dia do anúncio da gravidez, almoçando em casa, ele encheu a boca para dizer que já foi polígamo, que já teve um caso com a Audrey Hepburn e que já foi casado com a Luana Piovani por uma manhã inteira e ninguém percebeu... Meu filho abaixou a cabeça. Todos riram.

Exercício 4

para minha amiga Julie Angarten Tivelli

I

Laura sabia que Rodolfo entenderia o desafio e viria o mais rápido que pudesse. Agora não havia escapatória para Rodolfo, ele não fugiria, não a deixaria vencer. Teve a impressão de desejá-lo profundamente.

...

É a falta ou ele que sente
o sonho do verbo amar?
(aplauso, silêncio)

Este poema a Morena da Rua Chiquinha Gonzaga dedica ao Foguinho...

Ouviu o narrador dizer, "Este poema a Morena da Rua Chiquinha Gonzaga dedica ao Foguinho, a quem ela ama muito e para sempre, que voltou há pouco para a cidade", alegrou-se, pois sabia que Rodolfo daria um jeito para encontrá-la, afinal este era propriamente o chamado e o desafio estava feito. Tendo rapidamente visto tudo e todos os participantes àquela altura da comemoração de aniversário da cidade, concentrados em torno do palco onde fica o narrador. Pensou em ir embora e tomou este caminho, após se despedir da amiga Lúcia. Atravessava a praça em direção à Rua Chiquinha Gonzaga, onde esperaria por Rodolfo. Olhou de esguelha as pessoas praticando slackline, com um instrutor muito animado e destemido, sua cabeça estava comovida pelas doses de bebida consumida, foi lá conferir o funcionamento daquilo e quando menos esperava, estava estabacada ao chão, de lado, e ria muito, ainda que sentisse tanta dor. O caminho apontava para o banco onde o homem ruivo que lia Drummond estava. Ela andava um pouco de lado, sem mancar, tinha uma parte das costelas e da coxa que latejavam ainda. Lembrou-se então que, antes de se levantar para propor de novo o desafio, esteve ao lado daquele homem sentada por muitos minutos - quinze? vinte? - e se esquecera de perguntar seu nome, distraída que estava com seus pensamentos e devaneios. Entretanto voltando para casa, atravessando a praça, indo em direção ao banco onde antes sentara, em um segundo, se deu conta de sua atração por aquele outro sujeito ali, enfiado em seu sobretudo preto, enfiado naquele livrinho, adoecido e sonolento. Seu rosto estava lívido, como o daquelas pessoas em coma, como as dos programas de televisão e filmes a que Laura nunca se cansava de assistir. Por que, em um segundo, se sentiu atraída pela figura mórbida e lenta do rapaz sentado sozinho no banco? Não tinha realmente qualquer explicação para dar a si mesma, pensou no segundo seguinte que estava traindo suas intenções, e traindo o próprio Rodolfo, que esperava encontrar em breve. E com quem reataria... Reatar o quê? Refletiu naquele segundo seguinte. Quem sabe é o novo começo após a distância no tempo. Eu não sei, eu não sei... Mas o que este outro homem cansado, acossado, o que está fazendo ainda nas minhas retinas, entre meus olhos, na minha mente? Quem é ele? É ruivo? Acho que não, está muito escuro e ele está suado, parece castanho o cabelo, qual será seu nome? Deve ter um nome, ai! que minha curiosidade me arrebenta a cabeça às vezes. Qual será seu nome? Eu não posso pensar nisso agora, quando estou prestes a rever talvez a pessoa mais querida da minha vida (meus pais que me perdoem.). Não, calma, ele não é tão querido! Neste exato instante, eu quero muito mais este homem doente sentado. Este homem sem nome ainda (e que, vencida a minha curiosidade, permanecerá sem nome para sempre), este homem, por assim dizer, inominado. Mas ele me faz lembrar de alguém... O que nele me atrai? Forcejou por resolver este problema, enquanto se encaminhava à Rua

Chiquinha Gonzaga.   Se, em um segundo, ela se deu conta da beleza lívida do garoto, é porque, em menos de um segundo - como menos? - seus olhos o percorreram, e alguma coisa nele a atraía perdidamente, talvez as veias saltadas na mão ou as ataduras na outra mão. Seu queixo era bonito e o nariz também. Deveria investigar logo e combater este sentimento clandestino, deveria se livrar deste estranho, disforme, suando em bicas, um horror! E deveria eliminá-lo do seu pensamento o mais rápido possível. Todavia todos estes recursos só faziam crescer a sua preocupação com o inominado... Como, em menos de um segundo, ela teria constatado aquele homem que tinha o cabelo batido pela luz branquiça da Lua e parecia violeta, de sobretudo preto, com a cabeça em chamas, sob a luz baça - o que acentuava o aspecto frágil e macilento do rapaz - uma típica cena de pouca nitidez. Com pouca nitidez, Laura apreciara intuitivamente o menino sentado, menino adulto, porque tinha o formato maduro do rosto, e menino velho, porque seus olhos não mentiam o algum sofrimento e o muito silêncio. Intuitivamente algo atraíra os olhos e os afetos de Laura.

Por que este homem não sai da minha cabeça?

Rodolfo palpitava em qualquer lugar da praça que estava sendo atravessada, mas ela não sabia onde... Tentou imaginar como o verdadeiro Rodolfo deveria ser, baseada em sua lembrança. Em menino era ruivo com pintas, robusto, eram da mesma altura na infância; e como teria ficado Rodolfo - Aquele que talvez chegaria daqui a pouco à porta da minha casa e sorriria e diria algo casual e honesto e... calou este pensamento, porque tinha vergonha dos seus clichês. Laura esperava encontrar um homem não muito alto, robusto e de cabelo castanho, Seu cabelo não deve ser tão vermelho quanto antes, eu espero. A expectativa estava diante dos seus olhos, e diante dos seus olhos estava o macilento embriagado de Drummond, Será que ele me ouviu quando eu disse "este seu livro do Drummond me deu uma ótima ideia"? Será que este doente pálido saberia o significado das palavras do Drummond? Não, não, somente Rodolfo entenderia, somente ele se lembraria do apelido que lhe dera - "Morena" - e somente Rodolfo se lembraria do apelido "Foguinho", afinal não havia outro Foguinho na geração deles. Pronto: agora além do homem a minha frente, tenho na mente o Rodolfo idealizado. Perfeito! Tenho dois homens a minha frente que desconheço completamente. O verdadeiro será um terceiro, um inimaginado, sem detalhes absolutamente, e entrará na minha vida sem que eu perceba, não é assim que funciona? Surpresa! Felicidade! Sem querer se apegou a três homens moradores da sua mente: Inominado, Rodolfo-Expectativa, Rodolfo-Real. Mas somente via um homem e era aquele doente mesmo, de dedos longos, de cabeça inclinada, pálido. O que estava acontecendo com Laura? Como poderia ter desistido assim do desafio, para se entregar a um completo desconhecido? Como este homem frágil voltou ao seu pensamento? O que seria do Rodolfo-Real, a quem acabava de se apegar?

De fato, a realidade nunca foi a especialidade de Laura:

A realidade nunca foi a minha especialidade mesmo...

Como não, Laura?! me pergunto, Se até hoje você viveu sossegada sem contratempos? A realidade é especialidade de alguém? A realidade nunca a atrapalhou, minha cara. O que está acontecendo comigo? Por que até o narrador me interrompe? Por que até o autor escarnece? O que será de mim? O que este moleque sujo, suado, doente e deslocado está fazendo na minha mente? Inominado, hein? Como eu o percebi intuitivamente, será que já o conheço? De onde? Ruivo, lendo Carlos Drummond de Andrade? Porém esse aí não é exatamente ruivo. Sem dúvida tem muito em comum com o meu Rodolfo, o Real eu espero..., mas está tão largado, desacreditado, derrotado. Nunca poderia ser o homem que acabo de desafiar... Sem força, sem magia, sem alegria, sem vigor, sem cor, sem paz. Como eu queria embalar este homem nos meus braços, num abraço longo e quente, calmo. Ele está me pedindo isto, ele quer meu braço, minha mão, meu corpo. Por que quis desafiar Rodolfo? Poderia ficar com esse aí mesmo e me satisfazer. Jamais encontrarei o Rodolfo-Real, mesmo depois de pedir para que o narrador lesse "A Falta que Ama", mesmo depois de o narrador ter anunciado meu endereço, mesmo depois de eu ter visto este homem ruivo segurando um livro. Mas não é ele, não é. Este homem é muito alto e magro, é muito pálido, é fugidio, é fugitivo, é muito pouco. Não pode ser Rodolfo, que estaria radiante e deve estar radiante em frente à minha casa já, deve tê-la adivinhado entre todas, que está vivo - não em coma - e está, acima de tudo, pronto para me vencer neste desafio louco, nesta empreitada maluca. Quero muito, agora, beijar este homem sentado, sem saber quem ele é, um inominado, um qualquer sem mais detalhes, isto me atrai nele. É uma ideia doida mesmo. Não! É melhor não! Rodolfo pode ver, ele deve estar me vendo já. Estava, então, diante do banco e continuou caminhando, possuída pela nova ideia na qual ele a vigiava pacientemente, inclusive podendo vasculhar seus pensamentos mais íntimos... Teve medo. Era estranho, tinha esse medo de alguém que se lembrasse de um amor de infância e o guardasse por tanto tempo, como se fosse um rancor, um fel maldito. Esse daí, na minha frente não quer nada, não pede nada, tudo o que lhe der será novo e leve. Por isso ela quis ajudá-lo, quase hesitou diante do banco, mas só conseguiu fugir, passou a mão em seu cabelo que possuía a coloração doentia exalada do resto do corpo, às vezes era violeta, às vezes castanho, às vezes vermelho? Estava suando febril, mas ela não pensava em outra coisa a não ser Rodolfo amante-vigilante. Teve medo, não desejou ninguém. Todavia uma ideia roçava sua mente, como uma consoante roça no céu da boca. Passou pelo banco do homem em transe, atravessou a Avenida Copérnico e entrou pela rua de sua casa.

II

Então, sentiu o toque de Laura no seu cabelo vermelho, e conseguiu aos poucos abrir os olhos, meteu o livro no bolso do sobretudo, levantou-se do banco e foi rapidamente pedir ao narrador, que estava de saída, seu livro do Neruda de volta. Quando Laura olhou para trás, viu o homem mexer a cabeça e se levantar cambaleante, Este aí eu nem imagino como vai chegar em casa hoje! O narrador, muito educado e polido, devolveu o livro a Rodolfo, muito bêbado e apressado. O garoto articulou um Obrigado! e deu as costas ao narrador. Procurou se lembrar da Rua Chiquinha Gonzaga e rapidamente viu que o banco, onde esteve sentado naquela noite, estava de costas para o início da rua. Viu um vulto de uma moça de costas indo pela rua, morena e não muito alta. Estava muito bêbado por conta dos quentões, e muito choroso e melancólico por causa do livro do Drummond. Ela tinha acabado de passar por ali, parecia... Mas se o toque de Laura o despertara, por que era aquela a moça que ele via se encaminhar à rua certa? Ah! Rodolfo, como você teria certeza de que era ela, se você está tão bêbado que mal pôde se levantar, quando o narrador declamou o poema do Drummond? No ar, havia ainda o perfume da bela morena andante. Era o mesmo perfume da moça há pouco sentada no banco, aquela falante, morena: O que ela disse do meu livro?

Este seu livro me deu uma ótima ideia!

Será que o perfume era só uma lembrança? Enquanto a moça ia embora, naquele segundo preciso e precioso, refletiu sobre as costas dela, para chegar à conclusão... É loucura tentar reconhecer alguém pelas costas, mas deve ser a morena falante – a partir de agora morena falante-andante.

É bonita, mas eu só a vi de esguelha! Como anda, e eu bêbado esperando Laura. Anda como se ficasse, hein? Eu, bêbado, febril, com este livro. Lembrou, no segundo seguinte, que o narrador lera "A Falta que Ama" e que fora a pessoa certa, ou seja, Laura, com o seu toque único, que apagara um pouco do fogo em sua cabeça, e ela mesma o estava desafiando para o seu jogo regrado desregrado: Rodolfo tinha a missão de encontrar a Morena da Rua Chiquinha Gonzaga, Ah... então ela mudou de casa... interessante! Estava meio acovardado pela bebedeira, mas escapar era difícil, embaraçoso, impossível. Resolvendo consigo que ela definitivamente estava na festa e também o procuraria, decidiu começar suas buscas pela praça mesmo, já bem vazia, onde as últimas falas ocorriam entre alguns entusiasmados expectadores. Ia para o meio das pessoas. E por isso virou-se para a praça sorridente, não queria fugir do desafio, sofreu um contratempo claro, o cansaço, o quentão, o corpo que doía muito, a cabeça latejando, mas não se deixava vencer fácil. Na charada do próximo segundo, desejou momentaneamente saber a boca, o pescoço perfumado e o rosto da morena e apagar a impressão ótima tida há pouco, para restar somente Laura na sua meta, desejou também saber o nome da morena falante-andante, pelo menos o nome do perfume dela e quem sabe comprá-lo para a outra, a mulher que vinha procurar com aquele amor guardado no peito como um trauma, um rancor viscoso e empedrado, translúcido, como o âmbar. Jamais a alcançaria a tempo: desistiu. Caminhou confiante, não parecia tão ébrio, ergueu o queixo, firmou a cabeça, olhando para frente, Quanta ironia, hein? Eu a noite inteira neste banco, e ela morando nesta rua.

Exercício 5

Idiota! Por que você foi se apaixonar por ela exatamente?

Eu não sei, mano, eu não sei. E ela falou de mim hoje?

Falou nada, idiota, mas se tivesse falado, seria para avisar que ela continua sendo lésbica.

Eu duvido que ela diria isso!

É verdade, ela não disse, mas não precisava: ela tem namorada. Aliás, eu acho que você não me ouve, você me ouve, Elias? Você já tem dezoito anos, encare as coisas...

Eu ouço, mano, você é o único amigo que tenho em Itá Anhangá... bem, o único não, mas um dos únicos eu acho, com certeza, o mais paciente...

Eu sou mesmo muito paciente.

Me diz aí uma coisa: quão lésbica ela é?

Que pergunta, hein? Elias, ela é tão lésbica quanto eu sou paciente...

Mas, às vezes, você não é muito paciente, sabia?

Nem por isso ela é menos lésbica, entendeu? Ela gosta de mulheres, cara, sai dessa, sério, está começando a ficar chato.

Para! Para! Calma aí, me deixa perguntar o que ela falou de mim afinal de contas?

Hoje não falou nada, mas ontem ela comentou...

Comentou?! O que ela disse?

Ah, disse que o acha uma pessoa boa, meio bobo, meio ingênuo, meio inseguro e muito, mas muito mesmo, muito idiota, opinião com a qual eu concordo!

Mais algo? E ela ainda tem namorada?

Você não me ouve? Ela é assumida e desinibida, ela nunca vai querer nada com você, Elias. É impossível ela gostar de você ... é definitivo para ela, é estúpido o que você quer, o que você sente talvez não...

Viu? Como vou mudar o que sinto? Você tem certeza de que ela não é bissexual?

Mas que raio de pergunta é essa?! Não, não, não é bissexual, sempre teve namorada.

Sempre?

Bem... sempre eu não posso afirmar, mas pelo que eu soube, pelo que me contaram, ela só teve namoradas. O Piolino e a Elvira me disseram que a Letícia só teve namoradas, desde que entrou no colégio, há dois anos, quando se mudou para a cidade com os pais e as duas irmãs mais novas.

Ela tem irmãs? Quantas? Onde ela mora, você sabe?

O Piolino me disse que mora na Rua Arimateia, mas a Elvira me disse que ela está trabalhando como modelo e alugou uma casa ali perto - Rua Judeia.

Arimateia ou Judéia? Ela é modelo?

Elias, por que você se importa ainda? Ela viaja para a capital, às vezes, e faz umas fotos. Você nunca notou o quanto ela falta às aulas? Deve ganhar muita grana.

Na verdade não, comecei a gostar dela há pouco, sabe? E a namorada é daqui?

Não, é da capital, mas a Elvira me disse que a namorada já foi apresentada à família e tudo...

Então eu não tenho chances?

Não...

Então é impossível...

Então é impossível... Bom, vamos tomar uma cerveja hoje?

Minha mãe não pode saber...

Saber do quê, da cerveja?

É, é da cerveja mesmo... ela não gosta. Em casa, só ela pode beber...

Mas é uma paixão, não é?

É uma paixão, Ambrósio, eu vou fazer mesmo assim...

Você está falando da cerveja ainda?

É, é da cerveja ainda... vou beber até cair...

*

Vou beber até cair, e depois ela vai ver só uma coisa. Vestiu-se como mulher e ficou plantado em frente à casa dela, na Rua Arimateia – no Bairro das Paixões – por muito tempo. Por muito tempo, ficou vestido como mulher pensando naquilo que diria quando Letícia aparecesse, saindo pela porta e perguntando o seu nome. Elias, vestido como mulher, assistiu a muitas horas de vídeo sobre maquiagem, sobre roupas, assistiu a muitos filmes e seriados sobre transsexuais, duvidou da própria orientação sexual, duvidou da própria identidade de gênero, duvidou que existisse identidade ou orientação, aprendeu a esconder o pênis no meio das pernas, aprendeu a improvisar um enchimento, levou a sério a ideia de chocar as pessoas e passar a se apresentar sempre como mulher, flertou com a desintegração completa de sua unidade humana e reconstrução de outro Elias, enfim trouxe na mochila uma peruca, uma calça bem apertada, batom, lápis para os olhos, pó-de-arroz, ficara a tarde inteira bebendo num boteco do centro com Ambrósio, cerveja e caipirinha, estava mais do que bêbado, estava vestido como mulher em frente à casa dela... Refletiu, durante algum tempo, vestido como mulher e pensou o quão difícil era trocar de roupa no meio da rua, escondido atrás de uma sebe, meio agachado, para não ser visto por ninguém, para que os cachorros não ouvissem nada, não sabia ainda se vestir bem como mulher ou não sabia se vestir quando bêbado: Acho que um pouco dos dois. Vestido, Elias sabia que podia ficar por horas e horas a fio, já havia ensaiado algumas vezes, decorou algumas falas, como tentaria conquistá-la, queria estar bem feminina. Não é fácil se vestir, muito menos passar o lápis nos olhos. Base, blush, batom, gloss, caramba! Ainda bem que minha prima me ensinou ao vivo um pouco e me emprestou. Ela não tem medo de nada e até gostou da ideia. Pôs umas sandálias da sua mãe que encontrou de última hora – Mamãe tem uns pés grandes até – conseguiu se concentrar naquilo que diria, mudava a posição da peruca loira a todo momento. Pensar na própria figura e pensar no texto decorado eram as duas coisas que o distraíram por mais de uma hora. Elias era como uma boneca bonita, um pouco desajeitada; ninguém passava pela janela da casa, estava nervoso, quanto tempo precisaria esperar. O suor escorria da testa, concentrou-se, sacou um lencinho e limpou discretamente. Dentro a família inocente jantava sem saber da visita inconveniente. Depois de algum tempo, uma criança viu Elias ali plantado, a pequena criança pensou que aquela pessoa estava triste ou parecia triste ou muito angustiada, porque ela suspirava de um modo incessante e olhava a ponta dos próprios pés o tempo todo. Eles se olharam por muitos minutos, a garota dentro da casa – através da janela – e Elias na rua, calmo como um pierrô. Elias queria ver Letícia, não uma criança. Mas não pretendia, vestido como mulher, em absoluto zombar dela, não pretendia agradá-la tampouco, vestido como mulher. Na verdade, não sabia o que queria por ali, se aprovação, se compaixão, se martírio (provável). A menina sumiu por alguns segundos, quebrando o pensamento dele. Logo a porta foi aberta para maior desespero seu (ele não queria ser anunciado, imaginem "Letícia, uma amiga sua está aí!"?). Ele tinha um nome para sua personagem feminina, ela se chamava "Helena". Não queria que sua versão drag sofresse algum preconceito ou fosse maltratada, tinha muito apego ao que imaginava ser sua figura então. A menina surgiu pela porta sorrindo entre simpática e zombeteira, ele a fitou concentrado novamente, ela fez o mesmo, observando, examinando, calculando, medindo para concluir o estado pouco sóbrio da moça. Riu um pouco e permaneceu à frente dele por alguns segundos. Agora parecia ter uns nove anos. (Silêncio estúpido, destes silêncios intrusos em que nenhuma comunicação ocorre entre os envolvidos, como num ônibus ou num trem; silêncio aborrecido, intransitivo, estúpido e ignorante: como tudo que só se pode afastar com alguma violência a priori desnecessária) (A menina já estava entediada com a figura de calça apertada...) Elias não queria falar, não tinha o que falar, não poderia falar; mesmo assim foi o primeiro a quebrar o intransitivo deste encontro (com sua voz baixa e insegura).

Como é seu nome?

Lúcia. Moço, por que você está vestido assim, é amigo da Letícia? (Helena suava nervosa e queria pôr fim à prosa)

Exato, Letícia precisa ver uma coisa (o que eu estou dizendo?!), ela está em casa?

Não! Ela mora na Rua Judeia, ela está lá...

Humm, que pena, amiguinha (começou a assumir o papel de Helena) ... qual é o número da casa?

Acho que é trinta e três, moço...

Obrigado, Lúcia, você é uma gracinha, sabia? Quantos anos você tem?

Dez...

Nossa, menina...

Sumiu pela rua cambaleando, sabia que a Rua Judeia estava perto, mas não sabia quão perto, voltou o rosto para tentar perguntar à menina, e, por sorte, ela ainda estava lá...

É pela direita, depois a segunda à esquerda, moço (riu um pouco). Boa sorte![20]

*

Quando Letícia abriu a porta e ficou frente a frente com Elias, não pôde esconder seu desprezo. Ele tinha decorado um texto para declamar. E bêbado, sem juízo - um perigo - foi logo sorrindo e serpenteando como uma dançarina, com sua loucura, com ímpeto e drama. (Tinha lágrimas nos olhos e a maquiagem borrada pelo pranto)

---

20 Elias e Lúcia se reverão daqui a treze anos e meio, ele, ator da Companhia dos Latões, ela, atriz aspirante a um papel em um drama de Tchekov.

Eu não sei o que quero, Letícia, mas minha pele também é macia. Meus lábios são vermelhos, meus olhos são brilhantes também, Letícia. (O que eu estou fazendo? sofreu um pouco, engasgou, a voz ficou embargada) ... Mas acho que o que você quer, eu não posso lhe dar - ele disse e sentou no chão, cansado.

O que você quer de mim, eu não posso lhe dar - ela disse sem entender nada, repetindo a frase escutada e inconscientemente afirmando algo diferente. Letícia saiu da sua casa, Elias se levantou e os dois se aproximaram e se abraçaram. Era difícil para ele descrever quão confortável foi aquele abraço, chorou um pouco sem dizer nada. Qual é o significado para palavra "homem"?

Exercício 6

Tenho quase certeza de que a árvore estava tentando dizer algo, ou talvez tenha de fato dito algo, mas o quê? O que ela estava dizendo mesmo? Há quanto tempo eu estou em pé olhando pela janela? A noite caiu e meus ombros doem, ando muito tenso desde que meu pai foi parar no hospital. É difícil mudar de posição às vezes, ainda mais quando lufa uma brisa tão fresca e um fantasma criança parece se pendurar e se balançar na copa duma árvore tão poderosa, com um Sol saboroso, eu também quero abandonar esta busca e todo o dinheiro envolvido – uns quatrocentos reais...

Não, o dinheiro eu não abandono.

Abandono-me – como fosse uma folha da ventana, quero dizer, como fosse um cortina pendurada à janela. E o dinheiro não me virá às mãos comigo parado. Pero... como eu cheguei mesmo a acreditar que seria possível encontrar esse tal Rodolfo? Apoio meu quadril à janela para agora olhar o interior do quarto e pensar no meu próximo passo. Às vezes me admiro com minha própria ingenuidade, acho aconselhável partir para uma busca mais objetiva, sempre mais objetiva: o próprio dinheiro. Segundo as palavras de meu pai – devo visitá-lo hoje ao anoitecer – o ruivo não tem conta no banco – talvez porque tenha o nome sujo na praça ou porque talvez seja procurado pela polícia – o que me levou a conjecturar da existência de alguna plata aqui mesmo, neste apartamento. Agora que vejo esta garrafa de vinho no chão, me veio a ótima ideia de molhar a garganta com algo, talvez haja por aqui uma outra garrafinha desta na adega do señor Rodolfo – há! Há! Há! Há! Há! Há! – e não tenha percebido ainda. Como este lugar é caloroso, apesar de toda a bagunça, é fácil se sentir à vontade quando se reconhece algo pior do que se é – ah... e isto é sem dúvida pior do que meu quarto ou pior do que a minha vida – e me sinto tão seguro chafurdando nesta lama alheia, uma vez que a responsabilidade não é minha.

Hijito, Manuel, estas chaves que você pegou vão te ajudar a manter tudo sob controle, elas abrem *cualquiera puerta* compreendeu?

É mesmo, pai? *Entonces* posso usá-las para entrar em qualquer lugar, em qualquer apartamento... (sorri triunfal e extático).

Ê, Manuel... (uma tosse prolongada indicava que a brincadeira não tinha sido bem aceita) Não se deve entrar em casa alheia quando te oferecem as chaves, filho, senão quando se oferecem as portas, como dizia minha mãe, (o velho pensava rápido, isto era indubitável), e por enquanto eu só te permiti a porta do meu apartamento, a os portões e às portas dos corredores. Não perca tempo com as outras pessoas.

Papá, por favor, no comprendí: las puertas se deben ofrecer entonces? (dei, por minha parte, uma de esperto) Então me diga logo qual chave abre a porta do apartamento deste tal...

O velho adormecia assim como uma criança cansada de um brinquedo bobo, ou como um fauno zombeteiro após um dia cheio de atividades, quem me daria ora uma mão para encontrar água minimamente potável seria o Rodolfo, Rodolfo! Rodolfo! Nada de Rodolfo quando se chama, pelo jeito não há muitos Rodolfos nesta rua, tampouco no prédio, me contento com água por enquanto e depois vamos vasculhar a casa; a água da torneira da cozinha está nojenta, vamos ver a geladeira... não há água! Um pote de manteiga, um resto de cachaça, limões, não há açúcar, não há pão. Vamos tomar um traguinho desta branquinha aqui em cima da mesa Ouzo, Ouzo, que é isso?! Com um gelo fica muito saborosa! Dá até para estalar a língua de tão bom, mais um traguinho com gelo e três para casar... e estamos bem... bem melhores. O que mais temos aqui? Mesa, cadeiras, criados-mudos. Banheiro! Aí! Que sede... Água... algo funciona neste lugarzinho. Quem sabe aproveite para cagar também, é, vejamos, tranca-se *la puerta y en un rato... Listo!...* Agora, sem mais demoras, vamos ao dinheiro... Opa, porque a porta do banheiro não abre?! Mais uma tentativa, não abre, não abre não abre não... não abre. Por que não abre? O que está escrito ao lado da porta... "Não tranque a porta do banheiro, por favor, Rodolfo" Não entendi se isto quer dizer "Não tranque a porta do banheiro, por favor, [assinado] Rodolfo" ou se quer dizer "Rodolfo, por favor não tranque a porta do banheiro"; isto tudo me leva à pergunta sobre a índole deste cara – mais uma vez – e por enquanto (como não adiantasse forçar a tranca) minha mão dói: não há nada melhor a fazer do que pensar a respeito do (mau) caráter dos outros. Os meus socos não adiantam, não adiantam, não movem sequer um centímetro a tranca: acho que quebrei uma mão. Não devo me exceder, logo eu tentarei novamente a fechadura. É preciso manter a calma, a calma. Não vou resolver isto batendo a cabeça na parede, nem o punho na pia – estas coisas não funcionam definitivamente – já escureceu totalmente e meu pai vai ficar preocupado comigo; com a cabeça enfiada no breu e o corpo trancado neste cômodo incômodo eu, eu mesmo o detetivezinho, estou deprimido. Ah... esse Rodolfo é esperto, é muito esperto, me trancar aqui e deixar de pagar o aluguel, até mesmo me matar de fome aqui: é o que veremos, *las ideas me ponen loco aquí,* quero ver o que meu pai dirá quando souber que o querido Rodolfo quase matou o seu filho. O inadimplente, o infiel, o despejado – ah... eu já disse que se encontrá-lo, se eu sair vivo desta eu não sei o que faço.

Hijo, venha hoje à noite para cá, me traga umas latas de cerveja e um maço de cigarro, mas não *te olvides de venir,* me sinto muito só às vezes.

Eu também, pai, eu também, e olha que eu nem estou doente.

Eu estou é trancado no banheiro deste cara, Rodolfo, um lavabo quase, o chuveiro parece até meio deslocado aqui - como um enfeite - acho que as coisas deste apartamento preferem ficar sujas. Então como poderei achar qualquer coisa sob este lixo de vida que esse cara leva? E que esse cara leva! O detetive, *el justicero yo Manuel Bruní*, universitário e itanhangüense. Acho que vou dormir um pouco, minha mão sangrou muito e está ficando meio inchada - *mierda!* - ou vou tomar um banho, há uma toalha aqui.

Hijo, no deberias meterte en mis negócios...

Como meu pai não mencionou antes este pagode no boteco do Bode? Ou o nome é bar do Leomar? Um banho ao som de cuíca é contagiante, a água está meio fria, mas não importa, preciso voltar a jogar futebol, ops a privada aqui por baixo. Não consigo deixar de pensar quanto tempo meu corpo suportará permanecer encerrado neste muquifo; *ay,* pai, e o pior é: por quanto tempo minha cabeça suportará? É sempre o mais perigoso enlouquecer antes de morrer, prefiro morrer de fome a ficar louco (o que estou dizendo? Como é difícil limpar este ferimento... mal consigo abrir e fechar a mão, os dedos estão inchados e as juntas estão muito doloridas, acho que devo imobiliza-la). Lá fora já vai alta a noite linda, posso vê-la pelo vitrô deste banheirinho, há um boteco de esquina onde já começa um certo alvoroço pelo grupo de pagode que se junta e parece que teremos uma noite cheia. Uma luzinha baça, lâmpada incandescente, fraquinha flaquita, vão puxando os maiores sucessos do pagode paulista e do samba matreiro de Martinho da Vila, enquanto não se decidem pelo repertório da noite, pe-lá-ja-ne-lá eu vejo juntarem-se já as poucas pessoas do bairro - *y tal vez* - de Itá Anhangá que apreciam o chacoalhar de esqueleto, ao som de... deixe me ver... eu ouço um cavaquinho, ouço uma cuíca fervente, um tam-tam, um pandeiro, o que mais? Violão? Não sei... Luz amarelinha, meu rosto ao espelho, diz vidraçazinha, espero um conselho... Tudo fica bem amarelado, meu mundo vai ficando mais e mais hepático, as paredes de azulejos verde oliva escuro, com uns desenhos que são ondas praianas, azul escuro, o resto entra sem muito medo de errar, no que eu chamo de "doentio", não propriamente uma cor, é um amarelo no chão, no teto, areia dura com algum mal no fígado... há... háhá... há... háhá... dá um clima de fundo de mar salgado... há...háhá. Dá bem um clima de alto mar pela cor, já pelo tamanho me lembra dum caixote, me lembra dum pagode e dum samba, cerveja e amendoim, à meia luz eu espero uma leoa: quebre esta porta, quebre esta janela, leoa! Não há o que seja alcoólico neste banheiro, também pudera, cachaça no banheiro, de onde estou começando a tirar estas ideias absurdas, de onde me vem esta vontade de dançar, este desejo de me mexer, justo aqui onde há menos espaço, sem contar que o chão está molhado... Não abre, *mierda*, à meia-noite - eu ouvi - o pagode acaba. Justo agora que eu terei uma das mais raras noites da minha vida: trancado no banheiro ensopado dum apartamento onde eu não deveria estar, com um espelho, com uma privada, com um rodo e com um chuveiro não muito caloroso. E ora eu mais quero dançar, eu mais vou dançar, será que eu sei dançar? Não abre, não abre, não abre!

Será que a mensagem fora escrita por si mesmo para si mesmo? Algo como "Rodolfo, eu mesmo, não tranque esta merda de porta, Rodolfo, lembra a última vez..." Será que eu deveria pedir bis? O que eu pediria como bis? "Flor de Lis"? Vou pedir uma do Itamar Assumpção, será que eles conhecem? Fon-fin-fan-fin-fun, machucando a noite! Eu adoro parcerias, Chico Buarque e Edu Lobo então? Não abre, de fato, e o pagode não acaba, nunca acaba o pagode, onde está o meu relógio? Será que eu devo pedir um bis, uma música, uma guarânia daquelas que minha tia e meu avô amam? Uma guarânia, será que eles cantam? Um bolero, um tango, algo de arrebentar o mundo em lágrimas e de afiar salto de dançarina. Um bis para mim! Toca *Gracias a la Vida*, ou Índia!

Manuel, meu filho, quando a prima de tua mãe me vier ver, *no le digas que he dejado de tomar el mate*, ao contrário, prepare-lhe um mate...

Eu adoro o mate, pai, e também não entendo porque *dejaste* de tomar?

Filho, o café é muito melhor, a cerveja é muito melhor... E, além disso, daqui de Itá Anhangá é difícil conseguir *la yerba*, Manuel, estou doente, não me encha o saco!

Minha mão está inutilizada, imobilizada como pedra, como eu gostaria de tomar um mate agora e *charlar* com meu falecido avô, tenho poucas lembranças dele, mas sempre muito boas; gostava de ouvir histórias; esqueci os melhores passos para o pagode, eu estou imobilizado, como eu estaria bem lá fora, comendo alguma porção emporcada desse boteco do Marreco... Não abre a porta e a fechadura não cede, há uma pedra imóvel do lado de fora, como se alguém a segurasse, eu seria mais feliz com um pé-de-cabra do que com o mate. Aqui está o meu relógio!!! Quinze para a meia noite, já?! O bis!

O bis, senhores! *Ei, eu estou aqui, ustedes, hijos de una puta perra, hey, aqui, no me dejen, ustedes me oyen? Preciso de ustedes! Soy brasileño como ustedes! Hermanos,* ao menos o bis, irmãos brasileiros, ao menos alguma coisa para me distrair! Enquanto a porta não se abre!

Oi, *hijo, Manú Manuelito, querido, como supíste que estoy aqui?* Eu não queria te preocupar, filho, não foi nada, meu coração é meio mole, né? Hehehe... eu estou ótimo, amanhã estou de pé, aliás eu nem sei como vim parar aqui, porque se dependesse de mim, eu teria ficado em casa e teria tomado um bom banho, o que sempre me alivia a dor no peito... Porém a vizinha... ela me escutou caindo no chão e chamou a ambulância, nem precisava, 'tadinha, mas é uma mulher muito boa.

Pai...

Qué?

A prima da mamãe encontrou num mercado lá perto da fronteira uma *yerba* boa para tereré. Ela chega aqui depois de amanhã...

Pero, Manú, (e o guarani ouviu-se, apesar de eu não entendê-lo direito, como de regra, não se entende a língua desse índio)... *En suma, hijo, no me dejes solo con ella,* ela não me entende... Não devo satisfações a ninguém e meu irmão não tem direito a nada, já tentei explicar para os poucos parentes que *aún tenemos.*

Sim, papai, ela não te entende porque ela quer o teu bem, coisa que você já não quer, eh? Ela se preocupa com você... Ela concorda contigo, quem cuidou do tio-avô foi você, sozinho e era o desejo dele...

Ah!... Mudemos de assunto: como vai a faculdade? (a enfermeira entrou e me recomendou *encortar* a conversa) ...

Pai, como estão as contas? O senhor quer que eu quebre um galho na pensão? Alguém deve ao senhor? Precisa pagar alguém? Isso foi no hospital, *pero* agora quem nos espreita ora, à meia-noite? Pai, há muitas aves agourentas em torno deste prédio? Por que ouço e entrevejo uma coruja, pai... E você não está aqui para me ajudar? Nem aquela leoa de pele morena dançante à roda, que sambava pela fresta desta janelinha do banheiro. Cuíca. Cuíca é o cão ou é uma coruja. Pendurada à cornija do edifício. Escuto. Para onde vão?

Ei, aí fora, me ajudem, eu estou trancado... E i ! Sou paraguaio, me ajudem, caralho! Já que não me deram um bis, pelo menos matem essa coruja! (Janelas à rua se abriram, gritou-se muito "Cala a boca!", gritou-se ainda o "Tem gente querendo dormir", e um dos integrantes do grupo de músicos, totalmente inebriado, dava risada e quase caía, tinha uma leoa ao seu lado e gritou "É só queeebrraaar a xaaanela, poorra... ha haha haha... [e soluçou sincopado pelo diafragma] pula aí qu'eu tchiii pego, porra")

Ei! Eu sou o filho de David! (O mais ligeiro interlocutor gritou o famoso "E daí?") Estou trancado no banheiro! (outro interlocutor gritou "Vá se foder!!" e fechou a janela) ... Matem o cachorro! Afoguem a coruja! Matem a coruja! E mais este cachorro chorando invisível, essas pessoas lá fora que eu vou matar, a coruja, a cuíca, o cão. Fez-se silêncio na rua, e eu que fiquei em silêncio comigo quase sou morto pelos meus pensamentos, a coruja o sabe muito bem, a coruja não para de gorjear, um som seco e curto, uUhuhuhu... uUhuhu... Hu hu hu huuuu... crescente, secante e perfurante, minha mão lateja, não se pode quebrar uma janela com a mão já quebrada, a não ser que minha mão seja a janela, e estando quebrada eu já me visse livre, a despeito da ideias absurdas que tenho desde que entrei neste apartamento, um poema escrito com sangue fresco e seco, parece ser coisa recente, dentro da minha cabeça pelo menos...

Cão
Coruja
pandeiro?

Por bem
Por mal
Por dinheiro...

Não havia mais vivalma dentro do apartamento, havia a porta do banheirinho devassada (como uma mulher de fácil vida espancada). À rua, o boteco fechado ou às moscas. Sob a janela daquele banheiro, uma cuíca abandonada a si mesma. Estranha vida.

Exercício 9

Só posso pensar em como os filmes dirigidos por Armando Bo e estrelados por Isabel Sarli eram realmente lindos, fiquei admirando Isabel Sarli na televisão; como é linda! Ora essa, aqui em Itá Anhangá ninguém quer saber de cinema bom - digo - filmes eróticos bons, compreendes? porque quando eu cheguei de Recife aqui em Itá Anhangá, há quase vinte anos, ninguém tinha ouvido falar em Isabel Sarli ou Armando Bo, ou mesmo nos irmãos Marx, Buster Keaton. Que me importa? Meu hábito é o de sempre desejar ver mais coisas, ver com estes olhos, míopes para danar, assim digo... quase não vejo de longe, e não há óculos que me sirva - uma vez que perdi o emprego e já me falta o argent (quando a necessidade aparece e nos empurra, há que se sucumbir simplesmente) - como, Meu Deus, eu - um admirador de Isabel Sarli e da Norma Benghel. - cuido deste arquivo municipal, fotos velhas e nenhuma mulher um tiquinho mais atraente do que a minha ex-esposa Carina, como nos divertíamos nos forrós, era uma festa bem à minha moda. Se o faço hoje, se chego ao elevado posto de diretor do arquivo municipal, não é por amor à ciência ou por algum dote especial para conservar documentos. É por uma curiosidade pornográfica. Simplesmente pornográfica.

Coxas quentes suadas, bem à minha moda eu dizia, rapaz, se eu não tivesse essa mania herdada de ser curioso, numa palavra, insatisfeito, se eu não tivesse conhecido aquele cabra - o Fred Carioca - excelente jornalista, me apresentou muito do que eu já sabia, e me fez perceber outras coisas mais, me fez ir fundo nas minhas perguntas, Fred Carioca veio fugido do Rio porque... por que foi mesmo? Quem se importa, era um homem muito carinhoso, valha-me, o que estou dizendo? Ora, fui embora de Pernambuco por vários motivos, e me asseguro que o mais literário, sem dúvida, foi o ter ficado em demasia exigente para a vida.

Maldita mania herdada de ser curioso e de gostar de gostar... Como eu e minha esposa topamos uma coisa tão abjeta? Mas ah... quem tem boca vai à Roma, quem tem boca deve ir à Roma, como eu poderia deixar de ir então? Foi com Fred e por Fred, eu aprendi sobre o cinema italiano, neorrealismo, cinema francês e latino-americano... para um cabra só entendido em filmes de Hollywood, em Hugh Grant, em Bogart, em Lawrence da Arábia, (valha-me!), tratava-se de uma mudança como da água para a água e o vinho. Frederico foi um mestre gentil. Mas nem mesmo me lembro da primeira vez em que vimos, eu ele e minha esposa, a um de seus rolos de filme do Armando Bo com a estonteante Isabel Sarli. Foi quiçá na sala de sua casa. Todos os rolos de Sarli fruíram daquele lugar. E não nos conhecíamos bem ainda e minha mulher participava ativamente do que estava acontecendo. Fred disse-me que me queria, muito vigorosamente. Ressabiado, abri o fato para minha esposa. Ela para minha surpresa também se animava muito com o que acontecia na casa daquele jornalista, mas num lampejo de ciúme e brilho respondia singelamente.

Teremos de deixar de visitar o Fred, e também sairemos daqui.

Não contestava, sabia que aquela vida não era para mim, mas estar na casa de Fred era como estar enrolado em seus braços, e ele nos meus, e eu enrolado nos braços de minha esposa, e ela nos meus. Aquela vida não era para mim, já estava cansado de saber. Mas um dia houve minha mulher de me dizer que estava grávida dele, e não sei se por ciúme ou por inveja, fui a casa dele tirar satisfações. Ele me passou a mão nos cabelos e respondeu:

Querido, não me importune com essas coisas, tu sabes que o filho é teu, tu sabes que eu gosto muito dela, mas eu gosto mesmo é de ti.

Ora, o Fred e minha esposa estavam certos: Fred gostava de mim, o filho era meu e mesmo assim teria de abandonar minha terra. Como começasse o falatório pela cidade, meu irmão me veio ameaçar com uma faca um dia na rua, me bateu pelas costas, cuspiu em mim:

Seu excomungado, filho da puta, enquanto trabalhas, esse carioca come a tua mulher, e enquanto tu o defendes, tua mulher espalha que o filho não é teu!

Não era bem a verdade, mas eu precisaria viver em outro lugar, então no quarto mês de gestação de minha esposa, sob um pretexto ridículo (um ataque de ciúmes de minha mulher), depois de uma discussão igualmente ridícula, minha mulher caiu nos braços de Fred me mandando embora, e, não obstante ter visto nos olhos de Fred a verdade, acatei a seu pedido e os abandonei no nosso quarto, tomando o cuidado de roubar alguns rolos dos filmes de Fred ao passar pela sala.

Eu saí da minha cidade sozinho para chegar a este chiqueiro, mania perversa de ter curiosidade pela mudança e de desejar o diverso, não era fácil viver sozinho aqui, e logo me associei a uma prostituta bem conectada à vida da Baixa Itá Anhangá (assim se chamam os bairros operários em torno e ao pé do famoso Outeiro da Guarnição, perto de um rio, onde também sobrevivem as profissionais do sexo). Ela se chamava Daisy, eu a chamava Desejo ou Desaforo, a depender do dia, compreendes? E como a clientela era boa, ela sempre indicava as minhas sessões de filmes (roubados) da Isabel Sarli, exibidos na "Sessões do Crepúsculo" à preços convidativos, com exibições das "Famosas Vedetes Americanas de Itá Anhangá, Daisy e Violet".

Era um sucesso estrondoso, e em breve policiais, detetives, cartorários, fiscais da Fazenda, empresários da região, vereadores e prefeitos, deputados e delegados nos frequentavam, ninguém cansava de ver os imensos seios de Isabel Sarli, suas coxas volumosas, seu sexo majestoso, seu sorriso caloroso e aquele olhar langue de Vênus rainha. Fomos contratados para animar alguns churrascos uns anos atrás. O dinheiro entrava e o estabelecimento ganhava renome. Daisy em breve abandonou o espetáculo e tornou-se minha gerente, trazendo o que havia de melhor dos entornos, como "As Deliciosas Filhas do Brigadeiro Vidigal", "As Angelicais Ninfas de Pasárgada", "As Meninas de Itabira" ou "As Maravilhosas Garotas de Itapoã", todas realmente muito belas e sensuais, de modo que pude guardar os rolos roubados num armário e abrir definitivamente um pequeno "cassino", o "Cassino de la Plata", comigo fingindo ora de italiano ora de argentino e Daisy fingindo ora de esposa ora de amante. O fingir deu tão certo que nasceram dessas fingições cinco fingimentos: quatro meninas e um menino.

Num dado ano, contudo, chegou um telegrama dizendo em poucas palavras: "Fred está morto, a ser enterrado em (dali a quatro dias)"

Enviado por minha ex-esposa, ai Carininha! e seria preciso levar Daisy e as crianças (ora eu tinha o dinheiro para tal?); para meu maior choque, Daisy tomou o telegrama da minha mão e leu com calma, sem entender muito bem o significado - afinal ela não sabia muito do meu passado (sabia de onde era e que lá fui vendedor) - me abraçou séria e devolveu o papel.

Precisamos ir ao enterro? Desanimado eu disse (Acho que sim...) Então...

A viagem foi longuíssima, a minha terrinha que não muda, e meu olhos se intumesceram quando Recife me abordou da estrada, me pedindo alguma esmola de carinho - Leve tudo o que tenho! Por que raios fui embora?! - e as crianças se agitavam em conhecer minha terra natal (e de modo inesperado, pois eu não pretenderia para lá voltar, muito menos para ver o funeral de meu amado Fred e minha amada Carina). Daisy adivinhou a situação quando pressentiu o meu comunicado à Carininha sobre a nossa chegada e ela ter (nos) esperado; cumprimentaram-se tranquilas e somente Carina me fuzilou com o olhar; Carina trazia um rapazinho pela mão, duns onze anos, Daisy se deu conta e reagiu da melhor maneira possível: calou-se - deixou-nos a sós, por confiar em mim o bastante. Mas por confiança Lúcifer quis superar Elohim e Prometeu roubou-nos ao fogo.

Me espera no hotel, querida! Ou melhor, liga pra minha mãe e pra minha irmã... Elas estavam loucas para conhecer as crianças...

As crianças, espero, adoraram Recife, depois planejo uma ida a Olinda. E este garoto quieto, sem iniciativa, que me olhava profundamente, como um fiscal aguardando alguma coisa de mim, propina, petições, carimbos, assinaturas autenticadas. Sua mão notou meu desconforto; chegamos a uma boteco próximo à rodoviária, sentamo-nos.

Quer comer, menino? (Não.) esboçou uma reação curiosa, meneou a cabeça inteira, uma negativa completa - Carina sorriu. Então, seu pestinha, do que você gosta? lembrei-me que a situação não era de reencontros, mas de pêsames.

Meus pêsames... (o menino esticou o beiço e se virou pra rua, desinteressado; Carina calou-se impassível)

Ele morreu te amando... (E como ele morreu?) Falava de tu todo dia, era um aperreio desgraçado, aquele sacana! (Carina, calma) E fui eu quem ficou aqui aguentando toda a chiadeira da tua família, da minha – teu irmão o atacou duas vezes de tocaia - (Carina, a criança...) Menino, vai embora!

A criança se levantou sem cerimônia, estendi-lhe a mão num gesto reconciliador - mas a criança ou não viu ou fez pouco, pois foi embora sem olhar pra trás, não se despediu nem da mãe.

E tu o amas'e? ela, ela fez um sim com os olhos, ambíguo, sem convicção... E a criança vive assim na rua? (Vive com tua mãe, seu porco!) Calma, Carina... eu disse mais exaltado do que ela que estava a me xingar (Seu porco, não soubes'e como sofri por tua causa, nenhuma carta, nada!

Tu 'tás mesmo muito mais filho da puta! Tua mãe é o cão, só não me come viva porque usa dentadura...) Calma, Carina, eu não sabia... (É... não sabias...) E qual é o nome do pequeno? (Meus dias são um martírio, um martírio sem fim) E qual é o nome da criança (Martim...) ... Martim?!

Martim era mais do que um nome de um engano, era naquel'ínterim um nome de mal agouro, e por que justo Martim? Era como se "martírio sem fim" ressoasse em minha cabeça, e todos aqueles anos de ausência me pegavam em cheio quando eu a vi passar a mão pelos cabelos, como quando nos conhecemos, antes de aparecer Fred, Armando Bo, Isabel Sarli, antes desse maldito Martim, antes de Itá Anhangá, de Daisy, dos meus pequenos e antes de tudo que venho narrando até agora - obviamente antes deste meu atual emprego no arquivo municipal. Aquelas mãos delicadas de longos finos dedos, arredondadas unhas, entre os cabelos de Carina, todo conjunto cheirando a jasmim, ai as mãos de Carina! E agora ela me vinha falar de martins?! De martírios sem fins e de mar e de amor incondicionais (e, Deus valendo para todos, ele sabia como eu o amava até a solidão e como eu a amava até o delírio); tudo isso voltando então, segurei sua mão no pentear dos cabelos, pelo pulso frouxo, dei uma ampla mirada em seu olhos castanhos e pedi - ou melhor, orei

Nunca mais falemos de Martim.

Ela sorriu irônica e com sua outra mão acariciou minha perna direita que lhe roçava o joelho; soltei seu pulso e pedi desculpas pelo que acabara de dizer, contudo a partir daí fiquei mais e mais imerso naquela beleza nostálgica de Carina, não tivera outros filhos e agora era frequentada por um irlandês diariamente; a conversa continuou sem importância por mais algumas horas e a cerveja liberou-nos a reminiscência de outros tempos, tentava falar do meu império em Itá Anhangá ("A cidade dos novíssimos começos" era o mote que acabara de ser aprovado pela

Câmara Municipal, e um artista da região fora contratado para inscreve-lo numa madeira – uma placa – e o promotor da cidade sugeriu um lema em latim Lapis numinis, na verdade é uma interpretação do nome em tupi Pedra do Nume ou do Diabo). Carina riu-se muito deste apelido bizarro e fez um "Bando de baitolas!" seco e desdenhoso.

Quer dizer que vida de cafetão é mais interessante? (Se o Diabo um dia trocar de profissão, com certeza há de ser cafetão!) ... E essa tua mulherzinha, depois dos cinco filhos ainda aguenta a rotina? (- silêncio -) Quer dizer que vais ficar cheio de dedos, meu filho? Vamo', pô, fala logo como é essa vida a dois... (e ela apertou seu joelho contra o meu, me forçando a abrir a perna contravontade e enfiou o joelho próximo à minha virilha... desatei a falar dum jeito desandado, como se mais ébrio ainda do que Olha, Carina, minha vida é outra coisa agora, fizemos uma escolha juntos e então tu vens me xingar, hoje eu não vou p'ra tua cama, eu vou visitar minha mãezinha, essas cervejas todas, tu sabes, são meu fraco, um monte de cerveja)...

Garçom, este daqui vai procurar a mamãezinha (todos riram, ou seja, o garçom e um bêbado desdentado o qual nos observava atenciosamente; Carina se aproximou do meu rosto, eu senti seu hálito fresco e azedo pela cerveja, ela tinha uns lindos lábios e eles estavam molhados, ainda tinham batom nos contornos)... Então não vais p'ra minha cama hoje, seu filho da puta? (e me empurrou) Aqueles rolos de filme que roubas'e, aquilo cortou meu coração. O Fred te amava e te perdoou logo, o que atiçava meu ciúme ainda mais. Tivemos pequenos amantes, adolescentes, vagabundos, lésbicas masculinas. Cultivamos em seguida perversidades inclassificáveis: jogos psicológicos. Tudo pode se tornar rotina, desde que a vida faça sentido. Em uma briga, mais por ódio guardado do que por amor transviado, Fred me agrediu – e como estava prenha há muito tempo – Martim se manifestou. Ele queria a luz. Todos abandonados por tu, tu que fos'e exibir essas bodegas no Sul, exibir pernas, coxas, esquecer amores no Sul, se perder. Todos abandonados aqui (ela pareceu notar o efeito causado por um discurso inflamado; ela mesma não trazia no semblante o fogo dessas palavras; o fogo desse passado de júbilo e crime; eu me aprumei na cadeira, desconsolado)

E trabalhas em quê? perguntei à queima-roupa, dum jeito igualmente desatado e que não escondeu minha perturbação: tudo para evitar a contradição em que me pus (Ora essa, eu sou funcionária pública ainda...)

E como ele morreu? tentei desesperado, mas ela me quitava enquanto eu notava como os anos lhe foram ditosos, suas pernas ainda firmes (afastei-a da mente) e, por mais estranho que pareça, havia ainda um cheiro de jasmim no ar, um sofrimento amarrou minha garganta e me livrei da conta do boteco rapidamente – o que era esse fio de cerveja no meu queixo? cheirando a jasmim?! e me revelava meu passado: Carina e Fred que eram os assíduos frequentadores dos meus lençóis, penteei-me e abotoei a camisa, pedi um trago de café com leite para equilibrar o espírito. Nenhuma ideia. Só uma carta sobre a mesa, duma escrita formal e à mão, um bilhete: "Funeral de Frederico Teixeira Cecílio Sanchez – às 14 h do dia (seguinte)"

Cheguei à casa de minha mãe, de olhos encharcados por lágrimas e de sorrisos pesados, contra aqueles bracinhos definhantes, abraços e beijos e entusiasmo - e Deus observando, haveria de ter guarida segura até no inferno, afinal minha mãe era pessoa firme e boa, mas como vivesse mais pela firmeza do que pela bondade, é possível que a contabilidade teológica lhe seja desabonadora. As crianças conheciam os primos finalmente e se divertiam, os menores gritavam e corriam, a mais velha conversava com minha irmã à cozinha e ria de tempos em tempos devido a alguma curiosidade lexical, uma gíria, o sotaque; no canto, sentado e impassível estava meu filho mais velho – Martim – que me viu entrar e coçou o nariz indiferente... Me aproximei e estendi-lhe a mão novamente num gesto inescapável, e ele me devolveu um aperto que indicava exatamente a obrigação, meneou a cabeça toda e foi correndo abraçar minha mãe...

Minha vovozinha, (mamãe o repreendeu por ser tão duro comigo e, o garoto demonstrando uma precocidade, que só pude reputar à personalidade de Fred, tornou) Mas, vovó, ele entende meu jeito, ele sabe que eu faço com motivo, ou não sabe? (Pasmo concordei e fiquei a meditar o assunto, saí de casa e à calçada fumei três cigarros seguidos, a noite era alta e alguns conhecidos me cumprimentavam) ...

Daisy chegava em casa e realmente me dei conta de não ter sentido sua falta; ela trazia umas sacolas dum supermercado com ingredientes para o almoço do dia seguinte; pôs as sacolas no chão à minha frente e nos beijamos, ela então me pediu um cigarro e fumamos juntos. Martim veio e se ofereceu para levar as sacolas, me opus naturalmente e de maneira irracional, os tomei e levei até a cozinha. Enquanto isso ele e Daisy conversavam, cheguei e ele disse secamente,

Eu convido minha mãe para o almoço, minha mãe é muito sozinha, dona Daisy (e me olhou fixamente).

Eu queria me ver livre daquele pequeno estorvo e pedi para minha irmã mandá-lo à casa de sua própria mãe; a ordem ia produzindo-se quando minha mãe interrompeu furiosa (o que pouco significava, pois como dissera, ela era dada à ação firme) e abraçou o menino, pranteando já – o garoto permanecia impassível e só me olhou d'esguelha para confirmar que a ordem tinha sido minha. Eu não me movi, passei as mãos pelo cabelo – derrotado por Martim – dei as costas ao ocorrido e voltei a fumar fora, donde Daisy não saíra.

Vai tomar um banho, querido, tu parece cansado.

E de fato estava, sem responder à exortação, atravessei a sala da casa e fui ao banheiro, tomar um banho; retirei os sapatos, desabotoei a camisa, me desbraguilhei e lavava o rosto quando de repente o rosto de Martim me veio à mente, assim tomando de assalto, e sentei-me sobre a privada tampada a pensar; me despi e observei minha sombra ao espelho – tudo ali era tão maternal e cheio de boa lembrança, meus pés no chão eram os mesmos pés no chão de outrora, meus olhos gastos e ameaçados pelo tempo eram ainda os olhos com os quais ameacei a beleza de Carina quando éramos adolescentes, com os quais contemplei o corpo de Frederico, meu fiel amante.

E como ele morreu?

A água me aliviava das dores nas costas e me levava o cheiro de suor, substituindo pelo do sabonete; a cada vez que passava a mão pela virilha, lembrava de Carina, eu era inteiro dela, nos forrós de nossas coxas, verdadeiro amor; a cada vez que passava a mão pela nuca e pelo pescoço, lembrava de Frederico Teixeira Cecílio Sanchez, eu também era inteiro dele, amor verdadeiro e "Amor verdadeiro", como ele dizia, "é amor de ser vida, ou seja, só pode acabar com a morte" (pensei nisso passando a mão no pescoço e sentindo a água escorrer pelas minhas costas, prevendo a resposta sobre sua morte e a descida da água pelo ralo).

Mas Martim?! Por que Martim?

Nunca mais falemos de Martim...

Exercício 7

William! Do you hear...

Conforme ele lavava suas mãos calmamente na tina de cobre, retirando os traços de tinta e de sangue com um pouco do sabão feito pela própria esposa, a partir da banha de um dos porcos do vizinho, um senhor que gentilmente lhes vendia um pouquinho daquela gordura saudável, boa para tudo: cozinhar, fazer sabão, temperar. Era preciso lavar bem o indicador, porque havia se cortado distraído ao afiar a ponta de um lápis, olhando pela janela de seu chalé um vento muito suave que batia na copa da árvore do outro lado da rua e um Sol bonito, era quase hora do almoço, e ele daquele ângulo podia adivinhar de onde vinham as ondas que quebravam na praia a poucos metros dali. Pronto, já estanquei o dedo, está como novo! Os decks de madeira espichados em linha horizontal como se brotassem entre as pedras da orla, num jardim de minérios salpicado aqui e ali por folhas de madeira, folhas retangulares banhadas pelas ondas. Ele pressentia os fachos de luz descendo do alto como se anunciassem a chegada de uma nova revelação, cada pedacinho de lume era um homem numa túnica branca baixando lentamente em direção à praia. Isso! Ele sorriu, Eu mesmo sou uma pequena criança, ingênua e pura e crédula, levada pela mão até a presença do Senhor, ele está nestas águas, caminha sobre ela, me mostra sua presença, ele desce.

William! Do you hear me? What do you prefer, my dear...

Querido. Querido jardim, onde um frágil passarinho vem comer uma semente, um inseto, aqui do meu lado. Suas mãos estavam latejando um pouco pelo trabalho incessante desde as seis da manhã, gravando ilustrações, fazendo esboços em papel e placas de metal, consultando livros que buscaria à biblioteca de Mr. Hayley, seu empregador e amigo, bem, menos que amigo, contudo, generoso e apoiador, menos apoiador que gentil. Não podiam reclamar, é certo que o clima não era dos mais propícios. A cada dia notava, por sintomas pequenos, que sua esposa e irmã adoecia, às vezes sua voz estava fraca, tão fraca que não conseguia escutá-la, mesmo quando interrompia completamente o que estava fazendo para simplesmente contemplá-la e atendê-la. Por vezes era necessário ir até ela, beijar sua testa, encostar os ouvidos em sua boca e testemunhar seus sussurros. Estava exagerando, claro, era uma figura de linguagem apenas. O clima era bárbaro, talvez os ares é que trouxessem miasmas, micróbios, algo de inesperado. Esfregou as mãos um pouco lentamente e trouxe água ao rosto, algumas gotas de suor surgiam à fronte. Em seguida pegou um pedaço de pano velho, onde já enxugara mil vezes o rosto, onde limpara milhares de vezes um pincel, observando as manchas de água ao lado de nódoas irregulares e perfeitamente secas no pedaço de tecido, muito gasto e áspero que servia apenas para tirar o excesso de umidade do rosto. Levou a manga da camisa ao rosto para completar o labor iniciado pelo pano e de novo viu pequenos pingos serem absorvidos pelo algodão e se senta procurando alguma coisa na pilha de papel de rascunho a lápis, com algumas poucas sanguíneas e nanquins, Amanhã vou comprar carne de cordeiro, ela disse que é um luxo, não precisamos, mas ela necessita de algo mais sustancioso e nutritivo do que as galinhas que se criam aqui em Felpham, só Deus sabe o que elas consomem ou que ares respiram. Não podemos nos queixar de fato, a costa é tão bela, o mar é maravilhoso, ter a chance de contemplar a natureza é algo sem preço e um dia desses tive a impressão de enxergar a França daqui, eram fogos, navios passando, lá no continente onde tudo queima, já conversei muito a respeito disso com Hayley, estamos em perfeito acordo sobre o significado da revolução, embora ele não acredite na minha intuição a respeito do espírito do tempo, eu sinto algo varrendo os ares, alguma coisa de muito iluminada e difícil, como uma passagem extremamente difícil, um canal largo e complicado, em que a humanidade precisará dar a mão à imaginação e à ciência, foi exatamente o que lhe disse, as duas nunca devem andar separadas e sei que nossa era é precisamente isto: a união entre a imaginação e a ciência, a humanidade é como uma criança - exatamente como uma criança! - um garoto levado por nossa própria mão, quero dizer pela mão da imaginação e da ciência até uma travessia, Catherine, Catherine, did I tell you about this little piece I rewrote just now? It's here somewhere...

Not yet, Will, but hear me, please...

Onde está aquele poeminha rabiscado no canto de um velho esboço de efígie, de quem: Camões ou Spenser? Já não lembro... Está aqui em algum lugar. Hayley às vezes dá a entender que sou demasiado imaginativo, fantasioso, metafórico demais, que soa pretensioso e empolado. Como se estivesse tentando a todo momento reler a história da humanidade, ir até as raízes de maneira independente e registrar minhas impressões em tudo o que toque. Respondi-lhe Yes, sure, it's exactly what I am constantly doing, Mr. Hayley, e ele achou minha resposta um exemplo típico do que andava irritando alguns dos que circulavam pela casa. It's not me, rest reassured, Mr. Blake, que não eram aquelas palavras dele, senão de um dos visitantes, acho que me recordo de um deles que não gostou de um dos meus desenhos e começou a me perguntar a respeito da maneira como compunha minha cenas e sobre o que pensava a respeito dos gêneros de pintura e da natureza em específico. Meu patrono sorriu satisfeito, embora ele conheça e já tenha compreendido minha teoria a respeito do naturalismo em pintura. Agora falar assim de chofre a respeito da natureza é um assunto demasiado amplo, não se pode sair por aí a parlamentar sobre a physis, por Deus, não porque o assunto não é de suma importância. É porque é preciso abordá-lo de maneira apropriada.

I cannot approach such a matter without some meditation and forethought... You will excuse me...

Will, what's wrong? What are talking about? Did you listen to me: chicken or...

Oh, sorry, Catherine! I was daydreaming…

Cadê o poema, come here, please, Catherine, hear this, achei, sim! Ela vai gostar, tenho certeza, porque a alegria que ela sente ao ler algo belo não pode ser fingida. É como se tocássemos nossas mãos, ela diz, e você beijasse minha testa e me abraçasse na cama de manhã, depende do poema, Will, cada um me causa uma emoção diferente. Ela vai gostar de escutar. Sure, come closer, see?

Read it to me, Will!

"Awake, awake, my little boy!" Me levanto de novo e começo a Posso ver seu sorriso cansado agora, enquanto leio, leio sem nem me dar ao trabalho de abandonar meus pensamentos, porque é tudo uma coisa só "Thou wast thy mother's only joy;", já sei que comentário ela fará, levando a mãozinha até os olhos Isto é tão dramático, Will!

This is so dramatic, Will!

Então ela aponta para o pedaço de papel cheio de anotações e correções, tentando entender como sou capaz de ler naquele punhado de rabiscos que se confirmam, se corrigem e se leem. Como eu faço isto? Ah... é como Deus fez o mundo, com muita atenção e carinho. Havia muitos dias que não conseguíamos ter uma conversa mais longa com Mr. Hayley sem os silêncios incômodos, nós três. Sei que esse ambiente faz mal a Cathy, o que se há de fazer? Prometi uma vida digna e nunca nos faltou nada, tampouco gosto de discutir com meus patronos, porém não posso me furtar à defesa das minhas convicções. E se de algo me serviu descer até a costa de Sussex foi justamente reconhecer de maneira mais límpida as minhas crenças, minha religião e julgar de modo honesto a coerência entre meu pensamento e minha arte. Sinto-me preparado a retomar com novo fôlego, com novo ar, meus projetos e encomendas.

"'Among the lambs, clothed in white, / She walk'd with her Thomas in sweet delight.'"

Seu sorriso embevecido é meu maior estímulo para escrever, por vezes imagino que somos os dois muito abençoados por vivermos em uma casa tão modesta e feliz, apesar das dificuldades que passamos, gosto de pensar que não seríamos nada um sem o outro, sinto sua mão pousar sobre meu ombro e ela se aproxima muito do meu ouvido para me dizer algo que deve ser muito importante, não tenho certeza se ela anda com a voz debilitada ou se eu estou com problemas de audição, "I could not get to the other side. / 'Father, O father! What do we here'"

Wonderful! Chicken or boiled eggs?

Oh, eggs, please, my dear. Para variar um pouco, talvez os ovos ainda não tenham absorvido as mesmas doenças de suas mães. Eu mesmo preferiria já ter voltado à Londres, Cathy sabe disso. Ela provavelmente o quer mais do que eu, suas raízes são mais profundas parece, sente falta das amigas e parentes. Flaxman e Butts andam preocupados conosco, não existe maneira de falar abertamente sem ser extremamente impolido e injusto com Hayley, essa é a verdade, estamos submetidos à roda do destino e somos pegos constantemente em lances de sorte que se revelam pontes para desastres, não é este o caso, não, nem queremos retornar a Londres por qualquer desentendimento com meu patrono, não. Houve, ao contrário, demasiado entendimento, compreensão, ao ponto de nossa companhia quem sabe entediá-lo um pouco; podemos fazer as coisas diferentemente em Londres se voltarmos, sinto isso, os céus estão se abrindo e os mares nos abençoaram – nada se interporá em nosso caminho, desde que sejamos justos, honestos e piedosos a cada momento – só nos resta sucumbir aos sinais e mandamentos que são enviados do alto.

Look there: an angel, Cathy!

Where? Where?

É o que digo sempre. Onde estava na leitura do poema? Nas asas de um passarinho é possível enxergar a surpreendente industriosidade de quem quer que tenha criado nosso mundo, ou seja, Deus. Espontaneamente ou por desígnio, está claro que ou a natureza obedece a regras que permite as mais belas combinações, ou a providência divina é dotada de inteligência ao ponto de escolher o melhor detalhe para ornar o mais ínfimo dos seres. Os sinais estão em toda parte, basta unir a razão interessada e engajada à liberdade da linguagem humana, capaz de trazer para perto cada região do universo, conectando tudo ou pelo menos exibindo o melhor possível as verdadeiras conexões entre os elementos da natureza. Isso Hayley não entende, nem ele nem Reynolds, dando-me conselhos sobre como observar e representar na pintura o mundo, é revoltante tal atitude! Claro, ambos fizeram seus comentários com a melhor das intenções, acredito, ou seja, não para diminuir meu trabalho, senão para criar alguma ponte entre a maneira como defino meu trabalho e o que eles entendem por uma estética natural.

I find these two verses so saddening...

Which?

These "But tho' calm and warm the water wide, / I could not get to the other side."

You are right... It is quite saddening. Quem é o pequeno Thomas, senão eu mesmo, levado pela minha própria mão até um rio sem travessia, acesso à Terra dos Sonhos. Sou eu, é todo o nosso gênero unido em fraternal amizade, mirando o mesmo horizonte com um olhar saudoso da ingenuidade infantil. Cada criança é o sonho da humanidade.

Who's the little boy?

What? Where? Which little boy, Catherine? Existe um demônio que é preciso combater a cada dia, um filho do Diabo, que nos assedia, a todos nós, a mim também, e me manda fazer o mal, ser expansivo, me ronda, nos ronda, me entregar à lascívia, humilhar os outros, apontar sem mercê os erros dos demais, tentar aniquilar tudo o que estiver em meu caminho, na trilha sagrada que me liga diretamente ao mundo espiritual, um espírito mau que tenta me ganhar para sua causa e me transformar em alguém arrogante, o tipo de atitude que identifico em alguns amigos de Hayley, com sua empáfia, elogiando minhas miniaturas, dizendo que sou excelente em miniaturas, como quem dissesse Continue fazendo isto (e apenas isto): miniaturas (e abandone o resto)... Yes, I do excel now in miniatures, thank you!

Are you talking to me?

Was I speaking aloud again?

Sure, darling, it's the only way to speak after all...

O que ela disse? Já lhes expliquei mais de uma vez que não posso abandonar minha vocação e minhas visões poéticas, elas são tão reais quanto o esplendor de uma estrela, provavelmente mais reais. Minhas imagens mentais não podem ser reduzidas a ponto de caberem em pequenas molduras, do tamanho de um pingente. Não. Elas que me acompanham dia e noite, estou sentindo uma dor no dedão e no punho esquerdos, como se tivesse pressionado algo com demasiada força, com desnecessária veemência. Minha vida não depende deste emprego. Minha vida depende deste emprego. Pelo menos por enquanto depende.

Did you hurt yourself again?

Ora, por que estou brincando com a ponta-seca? Quão desleixado, William! Reckless, reckless!

Indeed, reckless! Let me help you...

Distraído e levado pela melancolia, parece que meu humor se tornou mais pesado, triste, dominado pela nostalgia. Francamente. Não posso permitir me deixar vencer por outros objetos de fantasia, maldosos e oscilantes. Há que se prestar atenção sempre aos sinais que o universo nos envia. Sempre. O Sol lá fora é para mim o símbolo que buscava ontem, hoje e amanhã. Parece que meu dedão está sangrando um pouco. Um desenho sob meu punho e dedo, um rosto conhecido que já não consigo identificar, porque o toque da pele com suor e sangue manchou o esboço feito a lápis, quem devia ser? Preciso limpar a ponta-seca muito bem. São tantos os pequenos rascunhos que faço sem perceber, tanta coisa que se acumula em todas as partes neste ateliê. Onde estive por um segundo, como fui capaz de tocar com a lâmina a ponta do meu dedo, não deve ter sido voluntariamente, não pode ser Do you see how sharp is this drypoint? Milton, ó Milton, venha me salvar de tanto acabrunhamento e sombrios pensamentos que tentam invadir minha cabeça. Acabo de ter uma ideia para um poema épico, sim. Talvez. Um demônio que me acosse em todas as partes, que ameace a humanidade que há em mim e que há em todos nós, certamente não devo ser o único. Uma entidade que precisamos combater com todas as nossas forças, perseverando na fé e na inteligência humana. Não é possível que percamos tanto tempo nos debatendo e guerreando por amor de quê, de reis, de generais, de burgueses mais preocupados em garantir o jugo de amanhã do que o próprio alimento hoje. Não sou contrário às instituições, de modo algum, contudo, um homem simples, um simples homem tem o direito de sonhar, de querer sobreviver até o dia seguinte para enxergar de novo o Sol ao ar livre, todos deveriam poder ver a graça de Deus com calma, escutar o oceano rugir o rugido do tigre, desejar cavalgar nas ondas, selas sem rédeas, selas sem freio, lombo que engole esporas. Não sou o único que precisa revelar às pessoas todo o mal guardado num pequeno Canal infrequentado, fechado, diante dos sete mares, como pode um pequeno canal selar o destino de todos nós? Let them play, fools, but we are entitled to our piece of peace and happiness!

Please do mind me. I entreat you. It's the third time I call. Boiled eggs, potatoes and carrots, my dear. Come sit with me, please.

A arte vai me salvar de todo o obscurantismo? De quem era aquele pequeno retrato ao lado do poeminha, parecia um rostinho, um mini minúsculo mesquinho rostinho, um narizinho, dois olhinhos, que apaguei com meu suor e um pouquinho de sangue, bem pouquinho, só para afogar aquele... aquele... Não importa quem era! O que está acontecendo comigo? Que hediondo, me ferir dessa maneira, como um amador que nunca tivesse pegado numa ponta-seca! Foi inconsciente, seguramente, minha cabeça anda considerando tantas questões ao mesmo tempo, é inaceitável que minha técnica tenha se perdido. A outra opção é machucar-se voluntariamente, igualmente impensável! Tudo são sinais, fica tranquilo, meu caro, paulatinamente os céus se abrirão e... existe uma terceira opção - ó não! - mas ela existe e essa reflexão assalta a minha consciência agora que talvez eu quisesse espalhar sangue, ou pelo menos derramar sangue, ó que terrível, de quem era aquele retrato? Isso não vai sair nunca da minha cabeça. Preciso de ajuda, sair para respirar um pouco, esconder esse poema, passá-lo a limpo em outro papel, me livrar da prova tão evidente... evidente do quê, homem? Mantém teus nervos no lugar, que estúpida ladainha agora esta, não esteja tão agitado. A ficar tão comovido por um nada, um pequeno corte, era melhor estar triste de novo, recuperar seu ar mais moroso. A vida é bela, I will never starve, I'll never starve as they once had suggested

You will starve if you don't come sit with me and eat…

Embora os seres humanos façamos muito para nos tornarmos mais miseráveis a cada dia, o milagre está à porta, afora, naquele cachorro passando agora pisando uma poça d'água, um mero vira-lata. Fecho os olhos e assisto eternamente a patinha afundando na água, enquanto uma onda sobe e espalha gotículas no ar. Existe cena mais reles e simplória e, ao mesmo tempo, existe encontro mais espontâneo e maravilhoso entre os elementos da natureza?

I'm going out for a walk, Catherine.

But where are you going just now? Eat something... This is unsound, you know the air out there...

I'll be back soon.

Exercício 8

A menina vai perder a hora do ônibus para a capital, amor, vá lá acordá-la, por favor. Todo dia sou eu que vou, todo dia eu preparo o café da manhã, não aguento mais. Léo, hoje é a tua vez. Porém sua resposta é comovente: um ronco um pouco mais alto, como se dizendo Cala a boca! Você ficou tão feliz ontem ao matar a barata, era ver seu rosto para crer: um sorriso de orelha a orelha, meio bobo e contente. Antes gostava dessas pequenas percepções, minúsculas descobertas que fazem da rotina algo como a espeleologia, parecido a descer até o coração da caverna e ir trazendo coisas à luz. Antes gostava do seu jeito de arrastar os chinelos pela casa, de andar seminu, sem se importar com os vizinhos Eles que se fodam! E me divertia com suas piadas bestas, manias repetitivas de organizar os talheres lavados por categorias, de classificar livros por ordem alfabética, sendo que eu explicava que o jeito certo era por tema Filosofia, Ciências Humanas, Ciências da Natureza, Matemática-Engenharia-Arquitetura, Literatura e Outros. Qual o quê? Você não ouvia, não queria saber. Fazia para me irritar, uma vez, quando você ficou desempregado reclassificou tudo pela cor das capas, por cor! Foi a gota d'água, nunca imaginei brigar com alguém por uma razão tão besta.

Tá bom! Tá bom! Eu mesma vou lá de novo, como todo dia, acordar nossa filha, se não ela perde o ônibus para a faculdade.

O que você 'tá falando, mulher? Hoje é aniversário da cidade, único feriado municipal, fica calma.

Ele diz, porém a verdade é que não se importaria se ela perdesse a aula. Não se importa com quase nada. Está esticando uma mão para cima do meu ventre, peluda, cheia de dedos, mexendo no meu corpo como se eu fosse uma boneca feita para agradar sua excelência o marido, ó grande e egrégio pinto de meu esposo, queira aceitar este humilde e sempre úmido e complacente orifício feito somente para agradá-lo, tome minha púbis com essa mão acabada de sair de onde? Das narinas, das cobertas? Vá, homem, vá direto entranhar-se nas minhas vergonhas e bunda. Ô, Sérgio, não é assim não! Calma lá! Digo-o, contudo, honestamente não queria de outra maneira, se quisesse nem pensava na origem das mãos, dos pelos, das línguas, era só deixar corpo com corpo, mão com mão combinarem e se esfregarem até sair uma faísca de cada pessoa, suar a testa, suar as costas, suar o rego, e o cheiro, antes não me importava com o cheiro daquele amontoado de carne e fluídos que formávamos, quinze, cinco anos atrás. Como qualquer ser humano, eu também me canso de ver a mesma coisa todo dia, ouvir a mesma voz, olhar pela mesma janela. Às vezes relembro boas companhias, uma última conversa decente e agradável, sonho com uns atores de televisão ou cinema, gente jovem quase da idade da Laura. Fecho os olhos e fico pensando e não sei se aconteceu assim ou se é só sonho... Um amigo dela uma vez me deu uma carona da capital até a rodoviária, se chamava como? Roberto? Renato? Era do tipo de homem bonito que me agrada, se fosse da idade de minha filha não deixaria passar, sentava nele, trepava e agarrava A senhora é muito moça para ter uma filha da idade da Lalá, sabia? É nada, menino, eu já tinha 23 quando minha filhinha nasceu, era uma adulta bem consciente, foi tudo planejado E por que não tiveram mais filhos Dona... Dona... Meu nome é Márcia, sou professora de português e inglês Uau! Que bacana! E me diga uma coisa, Márcia, como sua filha ficou tão inteligente? Ela é um fenômeno na Universidade, só vendo! Olha, R. - não me lembro o nome - ela era uma criança muito interessada em qualquer coisa que caísse em suas mãos: livros, violão, até flauta doce ela tocava! Com as línguas era a mesmíssima coisa, arranhava o inglês em casa comigo, e aprendeu espanhol sozinha praticamente O seu marido faz o quê? O Sérgio era desenhista, mas o mercado está desaparecendo, né? Ele está sempre pulando de galho em galho, ai, credo! Ele é muito trabalhador, mas sabe como é? Vinte e cinco anos casados, já não tem a mesma magia, tem magia sim, claro! Não a mesma, às vezes é outra... quero dizer... ele faz um pernil assado com laranja e limão que só vendo, aprendeu na televisão, ninguém faz igual. Me diga uma coisa, R., esta aqui é a perimetral? Sim, sim, é a perimetral, ela vai margeando o rio até chegar perto da rodoviária Esse rio é fedido, hein? Nossa, eu às vezes nem me lembro que tem rio aí, fecho as janelas, ligo o rádio e o ar condicionado, fico mais pensando no trabalho, concentrado O pessoal corre muito aqui, não? Ah, mas uma perimetral é para isso, né? Para pisar fundo, sem perceber eu chego a 80, 90 quilômetros por hora Noventa?! Rapaz, tome cuidado, uma amiga do Sérgio estava explicando que uma batida a essa velocidade é fatal! Eu sei, não faço por querer, é tão fácil acelerar... Esqueço o pé lá e pronto! Que horror! Meu bisavô participava de competição de natação e de remo neste rio, sabia? É sério? Ele era o quê, italiano, português? Que nada, era dali do Pontal ou do Triângulo, sei lá como chamam aquela parte do Estado Sei sei, conheço muito Minha família é de Ouro De Ouro-Ouro mesmo ou de Ouritos? Ouro mesmo Não é Ouro-Pardo? Não, é Ouro, só Ouro, uma vilazinha antiga meio abandonada onde encontraram o primeiro veio de metal precioso no Estado, foi fundada naquela época e abandonada depois, não quero ser politicamente incorreto, porém aquilo virou um quilombo informal, ex-escravo fugido, escondido em Ouro! Essas são suas raízes, menino, melhor saber de onde se veio do que andar por aí perdido, você sabia que a maioria das famílias milenares da capital chegou no país no século passado só? É verdade? Não tenho nada contra quilombola, Ouro nem é quilombo na verdade, é uma cidade normal R. agora preciso puxar sua orelha: e quilombo não é normal? Não foi o que quis dizer Um quilombo, uma aldeia, um distrito e um bairro em geral começam do mesmo jeito: uma família vem explorar a terra, a filharada cresce e se casa e cultiva o pedacinho de chão seguindo o saber local A senhora parece antropóloga Besteira, veja só, um sobrenome é o quê? Sei lá, o que é? Presta atenção, o que há em um sobrenome? Não sei Você pertence aos seus pais? Acho que não, mas talvez sim, de certo modo Seu sobrenome diz o quê? Bem eu sou R. dos Santos Sereno Não foi o que perguntei: o que seu sobrenome quer dizer? Não entendi a pergunta... Se eu chamá-lo de R. Metade-do-Ouro e Metade-de-N não ia dizer mais ou menos a mesma coisa? Bem, aí pegaria só o aspecto da terra e não do sangue Agora sim: o que o sobrenome indica? O sangue e a terra de origem? Ha ha ha se mudarmos seu nome, seu sangue muda e sua terra? Não, acho, ainda que não precise ficar preso às minhas origens apenas Muda ou não muda? Não muda... Então o sobrenome não é nada Nada Por outro lado, se você morasse no quilombo, na aldeia, no distrito fundado há mil anos pelo seu antepassado, se sua família vivesse desde então ali e se o sangue e a terra estivessem tão próximos, tão colados, que ao dizer seu nome completo, as pessoas entendessem imediatamente onde você vivia, como vivia, comia, bebia, cantava, falava, pensava, sorria Uau, Márcia, uau, você é antropóloga Isso não é relevante, rapaz, presta atenção: neste caso você concorda que um sobrenome é muito importante? Concordo claro E se você decidisse sair dali, de Ouro, para viver na capital, arranjar emprego, estudar, fazer outras coisas e dissesse "Eu sou R.-de-Ouro" e as pessoas respondessem "Não pode ser, porque quem é de-Ouro não bebe refrigerante, não come coisa industrializada, não trabalha com carteira assinada, quem é de-Ouro vive no mato, no quilombo" o que você diria? Mandaria todo mundo para puta-que-pariu, eu sou o que quiser, não importa de onde venho... He he he você entendeu direitinho, imagina o caso contrário, alguém lhe diz "Eu sou de-Ouro, minha família é de guerreiros e capitalistas e libertadores e eruditos" Ora, também mandaria para a puta-que-pariu Claro, R., não é o que os milenaristas fazem? Falando de seus avôs calabreses, bávaros, gente pobre sem ter o que comer e agora ficam com besteira, "meu avô era nobre português", "meu tataravô tinha olho azul, verde, vermelho, amarelo", esperando Dom Sebastião voltar ou aguardando o Rei Vittorio Emmanuelle vir conquistar a América do Sul Rei o quê? Esquece, vocês são de Ouro então... Ouro, veja você Não acredito, lá pertinho é onde nasceu o meu marido, ele é de Marinxá Marinxá?! Pertinho da terra da minha mãe, coincidência boa... seu Sérgio dá muito duro, né. Dona Márcia? Direto a Lalá comenta dos projetos dele É muito esforçado, quando nos conhecemos ele pintava uns quadros lindos, trocou de curso, saiu da arquitetura Arquitetura?! Abandonou e depois ingressou numa vaga qualquer lá, começou a estudar somente artes plásticas, fazia performances, tocava numa banda – na verdade ele mais animava o pessoal que tocava, porque ele só sabe acompanhar uma música com aquele bongozinho – e depois, né? com o nenê foi preciso encontrar algum emprego mais fixo, ele tentou trabalhar em museu durante um tempo, vendia uns desenhos para agência de propaganda, coisa boa só vendo! Figurativo, paisagem, ele me ensinou muita coisa, sabe? O tempo nos ensina a ver muitas coisas nos outros, R. Uau, Dona Márcia, Seu Sérgio parece bacana também, não tive o prazer, a Lalá já me convidou para... Vocês estão namorando?... Como?... Ai, desculpa fazer essa pergunta assim de chofre, é que como você me ofereceu a carona e foi ela que pediu, achei que fossem namorados As coisas não funcionam mais assim, Márcia, eu gosto muito da sua filha Ela é ótima! Ela é mesmo ótima! Não é por ser minha filha, saiu muito a mim, ela é um partidão Ha Ha Há ai, Márcia, que piada! A senhora... Não precisa me chamar de senhora, vamos passar logo ao 'você'... Você me explicava que um casamento de vinte e cinco anos tem outra magia, é isso? É muito tempo, né? Meus pais ficaram casados por dezoito anos e depois se separaram numa boa, nós até encorajávamos, eu e meus irmãos Você tem muitos irmãos então? Somos em quatro: Toninho, o mais velho, Lídia, a segunda, eu, R. e a Flávia Meu Deus, que nomes lindos! Se tivesse outro filho e fosse menino queria Antônio, sabia? E por que vocês nunca tiveram outro filho? Ha Ha Há quando você tiver o primeiro vai entender, na verdade nós queríamos mais um, tentamos durante quase cinco anos e nada, tive dois abortos espontâneos, fiquei numa depressão danada e desistimos, o Sérgio ficou triste, pensamos em adotar e aí pensamos que a papelada e a fila e não sabíamos se a menina ia se adaptar Que gesto bonito! Minha irmã mais velha acabou de adotar uma criança, uma menininha linda, chamada Paula, linda, tem um cabelo bem encaracolado, parece até da família! Uau, deve ser muito bonita então... He he he Dona Márcia, eu e a Laura tivemos um lance uns dois, três meses atrás, de vez em quando nos encontramos e saíamos juntos... Não precisa falar mais, R., fui muito indiscreta, sei disso, vamos mudar de assunto: você pensa em ter filhos? Ha ha ha vamos mudar de assunto? Ok, rapaz, olha lá, hein? Minha filha é mulher séria, mas me diga então o que você pretende fazer depois de formado, a Lalá já me explicou hoje que você está quase se formando em engenharia de produção, tá certo? É isso mesmo! Com sorte me formo até o meio do ano, meu sonho na verdade é trabalhar com turismo, eu pratico montanhismo. Montanhismo? Sim, é um conjunto de técnicas desenvolvidas para explorar montanhas É perigoso? Opa, se é... superperigoso até. Você já viu algum acidente grave? Nossa, não, graças a Deus não, mas já passei perto de cair no Sul do Estado, quando estávamos explorando uma caverna e uma pedra escorregadia quase me fez cair de uma altura de quinze metros Quinze metros?! É muito? Olha, não é das maiores alturas, suficiente para matar com certeza Menino, que coisa, e sua mãe não fica preocupada? Acho que ela não sabe, Márcia, se soubesse ficaria muito preocupada certamente Como assim ela não sabe? Ela na verdade não entendeu direito o que faço, ela pensa que é só subir morro, fazer piquenique, ela me perguntou "Vocês ficam de bobeira no pico por muito tempo, R.? Tome cuidado" Ela não entendeu Não Mas a Laura já foi contigo numa dessas explorações montanhosas? Ha ha ha a senhora parece que fareja o assunto certo em cada momento, Márcia. Viu só, depois de criar uma filha interessante que atrai um caminhão de rapaz bonito - e até moça - a gente até que fica mais esperta, menino! Obrigado pelo elogio! Então responde, ela já foi junto? Ela nunca comentou nada... Bem... tecnicamente ela foi, só que ficou na base da montanha, não teve coragem, era uma caminhada de 6 horas de ida e 6 de volta, havia muita chance de precisarmos dormir lá no alto da montanha 12 horas no total, então? Sim, 12 horas Caramba, entendo a Lalá Ela adora caminhada e dança Pois é, menino, ela a-do-ra 12 horas era muito Como foi isso? Eu deveria ter pensado melhor na proposta, fui muito ingênuo... Você não preparou o terreno... Não mesmo, e ela voltou a fumar de uns tempos para cá Nem me diga, eu parei para dar um bom exemplo, mas tem momentos em que mataria por um cigarro, só eu sei, mataria por um copinho de café e um cigarrinho com um ventinho batendo no rosto, sabe? Aquela brisinha gostosa, é mais gostoso que chocolate às vezes Melhor que chocolate? Chocolate é maravilhoso, calma, menino Ah bom! Você estava falando que um casamento de 25 anos é muito tempo, Márcia É mesmo, R., quando se para pra pensar é um bocado de tempo, um quarto de século Um quarto de século! E como foi a festa de casamento? Que festa, menino! – acho que neste momento estava admirando as coxas do rapaz, foi um segundo, não sei se fiquei procurando o pau dele, acho que não – puxa vida, no meu tempo o pessoal fazia umas festinhas mixurucas, era um par de champanhes, os noivos enfiados em um passat velho, um fusquinha Ha ha há que engraçado, Márcia - foi neste momento que consegui ver melhor as pernas dele, caramba, esse menino fez o que para ficar forte assim? Montanhismo não deve ser tão exigente, será? O Sérgio bem que podia Futebol só não deixa ninguém parrudo desse jeito, deve ser luta-livre, wrestling, 'tá doida, Márcia? Quem pratica isso aqui? Os ombros dele são meio saltados, como os de um boxeador, deve suar um monte enquanto transa, a Laura que o diga - e a Laurinha veio um tempo depois... Exatamente, o trânsito deu uma parada agora, né? Estava fluindo tão bem Verdade, é normal, agora é assim: a qualquer hora pode ter engarrafamento, batida, briga, tiro, polícia passando com camburão ou bloqueio policial de bandido, bloqueio de policial da Polícia mesmo, falando nisso, saiu no jornal daqui a treta entre a Polícia Militar e uns seguranças privados lá de Itá Anhangá Menino, que coisa horrorosa! Os seguranças são policiais civis que fazem bico, existe muita rixa entre as polícias, eu não sabia, o Sérgio que lê mais jornal estava me explicando Eles não se bicam então? Nem um pouquinho Foi feio o negócio, né? Foi mesmo, tiro, porrada e sangue Morreu alguém? Não, feridos de ambos os lados E por que a treta começou? Parece que estão implementando uma nova lei do Psiu lá na cidade, coisa do Secretário do Cultura, e uma das boates da cidade funciona em um bairro bem residencial, você conhece Itá Anhangá? Não... ainda não Então é no bairro da Falida, uma fazendona do século xis que virou um bairro de classe média e remediados "Remediado", adoro essa expressão A boate não pode funcionar mais sem autorização municipal, segundo a lei de urbanismo Lei de urbanismo? Tem outro nome, esqueci agora, a lei lá que determina quais comércios podem ficar num lugar ou não Entendi E deu o maior bafafá socos, pontapés, pescoção, o Delegado, porque ele é o dono da empresa de segurança privada, aí o Coronel interviu, quase se bateram também Que merda, Dona Márcia Parece que o trânsito voltou a fluir Ótimo, hoje ainda chegamos à rodoviária, fique tranquila, você 'tava contando sobre quando a sua filha nasceu É verdade, ela era um bebê tão delicadinho, parecia uma bonequinha, magrinha-magrinha, mas depois foi ganhando um corpo firme, ombrinhos largos como os do Sérgio, aquele sorriso dele, parece pintura, tão bonitinha, com 11 meses já andava, dizia papá mamá dá com 1 ano mais ou menos, era meio enjoadinha para a comida, tão graciosa que só vendo, sempre foi moreninha, como eu, e tem esse cabelo ondulado igual ao do pai Mistura boa! Pois é, ficou linda, não ficou? Nossa, assim você me coloca em maus lençóis, ela é linda mesmo! Vou lhe contar sobre esse elogio arrancado à força Não me entenda mal Imagina, ela compreenderá Ha ha qual é a empresa que leva até Itá Anhangá? É o Expresso Paulatino Oi?! Palatino, Palatino, desculpa Ouvi outra coisa Minha cabeça, é que o trânsito está tão lento que essa palavra veio à minha cabeça: paulatino... Dentro de cinco minutos no máximo estaremos lá Me diga aqui, a minha filha me contou que você era esportista, eu não sabia que o montanhismo deixa a pessoa em tão boa forma A senhora me deixa sem jeito assim, o montanhismo é muito exigente, com certeza, preciso manter o fôlego em dia, correr de vez em quando, faço musculação e joguei muita capoeira em moleque Você precisa dar umas dicas ao Sérgio... Já estive muito melhor, Márcia, uma época corria 15 quilômetros em quarenta minutos Que marca! Veja bem, não é necessário ser magro ou musculoso para o montanhismo, isso que é bonito no esporte, é quase uma expedição científica Ha ha ha de todo modo você leva a sério o papo de manter o "fôlego", malhando então deve aguentar 40 horas de caminhada Obrigado, Márcia Imagina, rapaz, aceite o elogio, a Lalá tem bom gosto Vou me lembrar do que você está falando, se um dia formos apresentados em outro contexto Ah então vocês dois ainda tem alguma coisa – por que estou perguntando isto? Ele vai achar que estou dando em cima dele, que péssimo! – quero dizer, torço muito para que ela seja feliz Também, Márcia, ela é uma pessoa especial Você deveria tentar aparecer na cidade no mês de junho, julho, agosto, tem muita cantoria, seresta, folia Me contaram: sarau improvisado Sarau, seresta, mas tem karaokê na cidade, pede para minha filha te levar, até folia de reis tem, lá no Distrito de Tapitipeba Nossa, folia de reis, 'ta'í um negócio bonito, meu avô tocava nas folias, ele era violeiro muito habilidoso, também tocava sanfona Você o conheceu Já velhinho, caquético, teve dezoito filhos, quando minha mãe nasceu ele tinha sessenta anos E tua vó Ninguém sabia ao certo, mas é só fazer as contas: ele deve ter pegado uma menina para criar e... Já entendi, era comum antes, né? Na minha família não se comenta nada Ih sei bem como é, minha mãe se casou com catorze anos No interior Que nada, aqui na capital, menino, perto da Água Mole Sei onde fica Pronto, parece que chegamos, vou descer aqui mesmo, muito obrigada Que é isso, Márcia, depois dessa conversa boa de agora faço questão de deixá-la lá na porta do Expresso... Palatino! Isso, Palatino! Tudo bem, mas tem essa filinha de carros Tranquilo, me diga, Dona Márcia, quando você entrou no carro, você disse que um casamento muito longo tem outra magia, me explica melhor o que você quis dizer É outra magia Sim, mas qual magia? O que muda? O que muda? Tudo! É difícil manter um casamento longo É sim, R., é preciso ser um pouco resignada, um pouco tolerante e um pouco perseverante Resignação, tolerância e perseverança, não parece algo atraente para um solteirão convicto Não é para ser, relacionamento é uma opção radical de vida Não é melhor a poligamia? Não é melhor se deixar levar Esta também é uma opção radical, todas são Explica melhor o casamento então, Márcia É preciso ser um tanto resignada com uma infelicidade inerente à vida, às relações, emoções, realizações, coisas dão errado e fazemos o mal querendo e não querendo Interessante Para não culpar ninguém pelos nossos próprios demônios Entendi Tolerante com o parceiro, parceira e consigo mesma, já que não existe perfeição Não existem muitas promessas de felicidade nisso Essa resposta é típica do Sérgio, tem certeza que vocês não se conhecem? Certeza A felicidade é uma ilusão complicada, que tira o foco daquilo que podemos conquistar e cobrar dos outros É um ponto de vista honesto e sem nenhuma magia então A magia... Não tem magia, Márcia, admita A magia é amadurecer, ficar mais firme e assentar, pegar uma pátina Pátina? Isso mesmo, como uma estátua Pátina?... Não se esqueça da perseverança, é preciso ser perseverante, porque sem isso nenhuma relação dura: com orientador, empregador, namorada, marido, filho e consigo; qualquer um sucumbe É difícil resistir? É sim, R., já imaginou defender sozinho uma cidadela O quê? Você já ouviu falar do cerco de Moscou durante a Segunda Guerra Mundial? O Cerco de Moscou?...

TIPOGRAFIA BOOK ANTIQUA. PAPEL POLÉM BOLD
NO VERÃO DE 2019/2020